智慧教育丛书

单留玉 等著

读懂学生的课程

I

中原出版传媒集团
中原传媒股份公司

大象出版社
·郑州·

图书在版编目(CIP)数据

读懂学生的课程. I / 单留玉等著.— 郑州：大
象出版社，2019.4
(智慧教育丛书)
ISBN 978-7-5711-0160-2

Ⅰ.①读…　Ⅱ.①单…　Ⅲ.①课程—教学研究—小学
Ⅳ.①G622.3

中国版本图书馆 CIP 数据核字(2019)第 052408 号

读懂学生的课程　I

DUDONG XUESHENG DE KECHENG I

单留玉　等著

出 版 人　王刘纯
策　　划　梁金蓝
责任编辑　连　冠
责任校对　安德华
装帧设计　王　敏

出版发行　大象出版社(郑州市郑东新区祥盛街 27 号　邮政编码 450016)
　　　　　发行科　0371-63863551　总编室　0371-65597936
网　　址　www.daxiang.cn
印　　刷　河南文华印务有限公司
经　　销　各地新华书店经销
开　　本　787mm×1092mm　1/16
印　　张　13
字　　数　155 千字
版　　次　2019 年 4 月第 1 版　2019 年 4 月第 1 次印刷
定　　价　32.00 元
若发现印、装质量问题,影响阅读,请与承印厂联系调换。
印厂地址　新乡市获嘉县亢村镇工业园
邮政编码　453800　　　　电话　0373-5969992　5961789

作 者

闫 彦　张丽娟　陈 琳　穆桂鹤

刘丹丹　徐 颖　胡翠翠　鲍筱薇

查爱红　杨慧君　姚 方　张萌珂

陈 欣　单留玉　肖陶然　宋 君

李小辉　王 宁　陈 冉　魏 霞

以学生的视角完整地认识世界

带着学校领导对我的信任，承载着所有参与智慧课程同事们的期望，为这本记录我们课程历程的书写序，我感到十分荣幸。

拿起笔来，脑海中浮现的是我们一次次共同研讨的经历。一次次的集体教研，无数次在办公室里研讨问题，有争执，但更多的是共鸣；有辛苦和泪水，但更多的是看到学生在课程中受益后的欣慰。从课程筹备到现在已经走过的两年里，我们在前行的路上并不孤独。还记得单校长经常微笑着鼓励我们："学校会大力支持你们，不要有负担，放手去做。"还记得宋校长在我们困惑时对我们说："咱们在做、在真正地实施就是进步，因为我们敢于迈出第一步。"还记得肖书记手托下巴专注聆听我们谈论问题，凝神思考后给出建议；还有学校"梧桐树下一家人"微信群中同事们发来的一篇篇启发我们思考的文章……

有许多人问：到底是什么让我们如此坚定地进行智慧课程的研发和实施呢？我想答案只有一个，那就是学生的需要。作为一线教师的我们或许都经历过以下的场景，课堂上语文老师教"太阳"这两个字时，孩子们就会说出太阳是红红的、圆圆的，老师会随手在黑板上用红色粉笔画出一个太阳，还会讲一些有关太阳的知识。这时下面有学生说："老师好像美术老师！"还有学生说："不对，像科学老师。""不对，像数学老师，因为她说太阳是圆圆的，是形状！"

由此，我们不难发现小学生认识世界的方式是从感知事物的整体开始的，然后渐渐感知事物的各部分。脑科学研究指出，脑是以整合的方式而非分散的方式对知识进行加工的，知识越整合就越易于学习。所以学生们不明白也不习惯于接受将完整主题割裂成碎片分到各个学科讲述的方式，缘于此，我们将每天下午的课程以主题的形式固定下来，将智慧课程尽可能完整地呈现给学生们，通过一个个符合自然规律的季节课程、一节节符合时间顺序的节日课程等学生们喜欢的活动形式，俯下身子以孩子们的视角和他们一起完整地认识世界。

这本书就是这样一本真实的书。虽然我们还有很多需要提升的地方，但是我们本就是践行者，会在实践中不断提升自己。相信读者能从本书中看到我们正在实践的育人模式，会在智慧课程之路上看到我们不断前行的足迹。

闫　彦

目　录

前　言

金水区实验小学一年级智慧课程
实施方案

一、课程整合的意义

　　2001年，我国启动了新中国成立以来最大规模的、具有里程碑意义的第八次基础教育课程改革。《基础教育课程改革纲要》指出，"改变课程结构过于强调学科本位、科目过多和缺乏整合的现状，整体设置九年一贯的课程门类和课时比例，并设置综合课程，以适应不同地区和学生发展的需求，体现课程结构的均衡性、综合性和选择性"，"小学阶段以综合课程为主"。这次课程改革针对当时的课程结构问题作了重大调整，强调课程整合，其目的在于改变过于注重学科逻辑的做法，关注学生的学习，注重学生的经验或者体验，实现课程促进学生发展的目的。

　　为了更好地提高课程教学的有效性，实行国家、地方、学校三级课程管理，需要把课程规划、课程建设的权利赋予学校，把国家课程、地方课程、学校自己开发的校本课程等统整起来，开展课程整合的研究与实验，以更好地促进学生发展。

课程整合的根本是为了促进学生的学习，通过创设相应的学习环境，使真实性学习得以发生，从而使学生获得知识和技能，掌握学习的方法，形成完善的人格。

我校进行的智慧课程有更多追求：以活动或者解决真实问题为主的课程整合，围绕学生成长的重大问题，打破学科界限，根据学生感兴趣的问题或者活动展开课程设计。在解决问题和展开活动的过程中，各个学科的知识得到综合应用。智慧课程首先要保证上述综合运用各学科知识的机会得以实现，其次是在问题解决中能够层层深入，在思维的深刻性上和探究的情感上都能有较好的收获。

二、我校实际情况分析

我校在智慧教育的办学主张统领下，始终围绕"营造书香校园，共享智慧人生"的办学理念，将"一笔一画写好字，一字一句读好书，一点一滴做真人"作为校训，以课堂教学为教育教学的主阵地，把读书、写作、研究作为促进教师专业化成长的措施，努力创设一个适合教师专业发展和学生健康成长的人文环境，着力构建积极向上、内涵丰富、特色鲜明的学校文化，促进学校内涵发展，不断提升办学品位，使师生在成长的过程中共享智慧人生。

师资力量雄厚。近年来，我校先后涌现出河南省教师教育专家1人，河南省综合实践专家组成员2人，河南省教育厅学术技术带头人3人，中原名师1人，河南省名师2人，河南省骨干教师3人，河南最具成长力教师1人，郑州市名师1人，郑州市骨干教师3人，这为课程的开发奠定了坚实的基础。

社区资源多样。学校周边高档社区较多，社区资源相对比较丰富，更有利于开展多元的教育教学工作，丰富的课程资源更有利于学校的发展，有利于学生的主动发展。

家长资源丰富。我校面向全区招生，生源充足，吸引了大批优秀学生就读。家长素质相对较高，对学生的期望值也很高，这些家长从事各个行业的经验也比较丰富，他们乐于为学校、学生的发展出谋划策。

课程是学校教育的核心载体，是学生获得发展的宝贵资源。我校以学生的发展为价值取向，从学生的成长需要出发，通过课程整合，提供强有力的课程支撑，为每一个学生提供发展的机会。

我校一直致力于探索课程整合，我们将更加鲜明地、坚定地、正确地在国家课程的框架之下"做自己的事"，即在坚持国家课程改革的基本精神和总体方向的前提下，深入研究自己的学生，创造性地开展智慧课程的探索和实践。

三、课程目标

1. 智慧课程的实施，注重培养学生继承中华传统美德，诚信友善，孝亲敬长，有感恩之心，树立包容多元文化的心态和社会责任感，以培养新时期的智慧少牛。

2. 通过智慧课程的实施，引导学生掌握基本社会生存技能，学会生存，为适应未来社会打下基础。同时，课程的实施也不断开阔学生的视野，引导学生学会求知，为终身学习打下基础，同时发展个性特长。

3. 通过智慧课程的实施，丰富学生的童年生活，让他们体验成长的快乐，感受成长的喜悦。

4. 通过智慧课程的实施，培养学生有实证意识和严谨的求知态度，能运用科学的思维方式认识事物、解决问题。在课程实施中不断实践探究，生成智慧，培养创新精神，提高创新能力。

5. 通过智慧课程的实施，激发学生的学习兴趣，让学习兴趣伴随学生的终身发展。

6. 通过智慧课程的实施，培养"读好书，写好字，做真人"的智慧少年。

四、课程整合的基本理念

在一年级的智慧课程整合中，我们追求如下的理念：

（一）整合是一种思想

我们真正实施课程整合时，我们就会发现课程整合带给学生、教师的思考，感受到整合带给学生整体、系统的把握和实施，更有利于学生的学。

（二）课程整合需要更关注每一位学生

人是课程的核心，我们更多地倡导学生、教师站在课程的正中央。课程整合使教师的教学从以教材为中心走向以学生为中心，避免"割裂的评价"，全面捕捉学生的潜能，真正使学习走向以学生为中心。

（三）课程视野下的课堂

我们完全可以基于自己对教学内容和学生的理解，将一切有助于学生学习成长的积极而有意义的元素合理地整合到自己的课堂中，在课程整合的推进中走出一条自己的路来。

五、课程整合的基本原则

根据教育部《义务教育课程设置实验方案》要求，我校遵循课程设置的如下几个原则：

1. 均衡设置课程原则。在智慧课程整合时，我校坚持德、智、体、美、劳等全面发展，兼顾不同年龄段儿童成长需要和认知规律。

2. 加强课程的综合性原则。智慧课程更注重培养学生的实践能力与创新意识，注重在学科渗透、整合中提升学生的综合素养。

3. 加强课程的选择性原则。智慧课程整合后，鼓励教师创造性地实施课程整合，把握好课程课时的弹性比例，发挥创造性，增强适应性。

六、课程整合的误区

误区一：课程整合不是包班

课程整合不是要求老师包班，不是要求教师成为"好的数学教师+好的语文教师+好的英语教师+好的……"，这是对课程整合的一大误解。

误区二：课程整合不是学科的简单叠加

课程整合不是"语文+数学+英语+音乐+体育+美术"的简单叠加，课程整合后的教师也不是各学科教师的简单叠加。这是因为，课程整合带来的是课程"质"的变化，对教师也提出了新的"质性"要求。

误区三：课程整合不是找不到目标

在课程整合视野下，一堂找不到课时目标的课，是一堂低结构化的课，是一堂低效的课。当我们用课程的大胸怀超越了学科课时目标的小计较时，我们会发现要达成的目标就是一种深度的融合。

七、智慧课程整合的形式

智慧课程整合，意在整合各学科知识，以减少课程内容的重叠与分化，彰显知识、技能与生活世界的联系及其价值。

（一）课程整合的三种模式

课程整合有三种基本模式：

第一种为学科本位模式。该模式源于赫尔巴特的教学思想。在赫尔巴特看来，一门学科的教学要经常地联系其他学科的教学，这样，教地理时就非常容易显示出它与历史之间的联系，同样，教历史时联系文学就会使历史教学更加丰富。用熟悉的东西去认知新的东西，如此，课程整合的目的不仅在于使学习更有意义，而且使学习更富有趣味。这一模式强烈影响了教育实践。1932年，美国进步主义教育协会组成的"中等学校课程检讨委员会"针对社会发展的综合化趋势提出进行大规模的知识协同教学的必要性，进而强调学科间的整合，一些国家先后出现的相关课程、融合课程、广域课程等就是这种课程融合模式的发展。

第二种为儿童本位模式。19世纪末20世纪初，受杜威教育思想的影响，全世界掀起了儿童经验主义的教育思潮。针对传统学科课程将知识割裂开来的弊端，杜威主张学习即生活，教育即儿童经验的连续改造，要求把儿童的经验和兴趣作为课程融合的核心。这与赫尔巴特的学科模式完全不同。在儿童本位模式下，不是学科逻辑而是儿童的兴趣决定了课程的内容和结构，不是学科课程而是活动课程构成了学校课程的主体，尽管活动课程事先需要规划、设计，但并不像学科课程那样有着严密计划。

第三种为社会本位模式。该模式反对学科分立所造成的碎片化的学习，主张将学科内容整合起来，成为学习的核心，这样可以使学生了解内容间彼此的关系，学习会更有意义。同时，该模式还强调学校教育必须通过课程整合来维护社会的核心价值观。

（二）课程整合的有效方式

基于以上思考，我校在课程整合中，可以采用如下的方式有效整合：

1．学科内整合。课程内容分属于不同学科领域，根据学科特点、学生思维发展和课程内容有效进行课程整合。也就是各学科保持独立地位，课程内容进行内部有效整合。

2．跨学科课程整合。我们也可以找到不同课程中内容相近或相似的结合点，按照不同的组织中心来组合不同学科，主题、问题、概念、基本学习内容、技能或课程标准的要求等均可成为组织中心，目的在于使学生能够从多重视角处理与组织中心有关的信息和观点，以便更全面、客观地理解知识和解决问题。

3．以项目或主题的方式进行有效整合。跨学科课程整合即学科不再是组织中心，而是被融入单元或主题之中，教师非常重视课程与真实情景的联系，并鼓励学生作为研究者参与学习活动。

其实，智慧课程整合不仅是一个结果，更是一个过程。在整合中，我们还要注意学科内容与学生生活、当代社会生活的整合，文本教材与网络资源、生活资源的整合，学科的传统内容与学科的新发现、新观点、新问题的整合等。还有表现方法上的整合，即深度探究学习、合作学习、体验学习等多种综合性的教学方式。这些都值得我们进行研究和思考。

（三）课程整合的三种境界和追求

课程整合首先是学科内容之间的整合，其次是学习策略和教学策略的整合，再次是育人目标的整合。

八、整合后的课程设置

我校围绕办学理念，建立师生共同发展的课程体系，使师生发展和课程建设融为一体。我校先后将国家课程、地方课程和校本课程进行有效整合。

我校一年级将开设"阅读与生活""数学与科技""英语与交际""体育与健康"和"艺术与审美"五个主题（综合）课程，安排如下：

阅读与生活：语文（国家课程）+道德与法治（国家课程）+书法（地方课程）+心理（地方课程）+阅读

数学与科技：数学（国家课程）+科学（国家课程）+实践活动

英语与交际：英语（地方课程）

体育与健康：体育（国家课程）+安全+健康教育

艺术与审美：音乐、美术（国家课程）+木版画+小乐器

九、课程整合的管理与实施

为了促进一年级课程整合的稳步实施，我校采用双轮驱动的方式进行

课程的开发、实施和评价等工作。我校课程委员会予以学术支持，学校教导处提供行政支持，促进课程的深入实施。

（一）成立课程开发、实施、领导小组

组长：单留玉

成员：宋君、肖陶然、李小辉、魏霞、张丽娟、陈琳、穆桂鹤、杨慧君、鲍筱薇、胡翠翠、姚方

（二）课程委员会名单

宋君、王宁、魏霞、江南、杨慧君、孙新玲、闫彦

十、课程整合评价建议

有利于学生个性的发展，有助于学生创新精神和创造性人格的形成、发展和提升。

注重评价的过程，使之成为教师与学生共同成长的过程，成为促进我校特色课程的生成、发展与提高的过程。

根据我校课程的特点，结合我校的校情、教师情况和学生情况，对学生、教师的评价内容要多元化，评价方式要多样化，参与的各方要互动。

评价方法多元化，如学生自评、学生互评、教师评价与家长评价等。建立每个学生的成长记录档案，在档案中收集能够反映学生学习过程和结果的资料，包括学生的自我评价、最佳作品（成绩记录及作品）、社会实践和社会公益活动记录、体育与文艺活动记录、教师及同学的观察与评价、来自家长的信息、考试和测验的信息等。学生是成长记录的主要记录者，成长记录要始终体现诚信的原则，要有教师、学生和家长的参与，以

保证记录的典型、客观、真实。

评价采用等级制，具体分为优秀、良好和合格三个等级。

十一、课程实施的保障措施

（一）建立健全、民主、开放的组织机构

我校树立民主、开放的学校管理意识，校长全面负责学校组织机构的建设。我校建立健全了学校课程委员会，制定课程审议制度，使课程的开发、实施过为民主决策的过程。

学校其他课程管理机构（如教导处）实行人本管理，充分发挥学校校务委员会团结全校教职工的作用，确保优质、高效地进行课程开发和实施。

（二）建立良好的课程决策结构和沟通网络

学生在家长的支持下确立自己希望学习的内容，并在教师的指导下，自评选择学习的课程。

学校提供教师与课程专家沟通的机会，为参与课程开发的各团体或小组之间交流提供时间和空间保障。

（三）持续的校本培训

学校积极鼓励所有教师都力所能及地参与课程开发研究，保证他们有较充足的时间获得各种学习机会。学校还根据教师专业发展的不同阶段，采取不同的培训策略，使教师们在研究中养成课程开发的意识、提高开发的能力。

（四）充分利用校内外课程资源，建立支持系统

课程的开发必须充分利用校内外资源，不断对学校的师资、设施、经费、器材、场所等课程资源进行积极的评估、利用，使人尽其才，物尽其用，并积极努力，不断改善教学条件。

主动积极争取大学课程专家的指导，积极争取与社区、政府的对话，获得广泛的支持。充分利用网络等途径获取相关课程资源，从而建立校内、校外两个支持系统。

（五）制度保障，建立自律的内部评价与改进机制

健全学校课程审议制度，如课程管理岗位职责、课程能力培训制度、课程教学管理条例、课程评价制度和课程开发奖励制度等系列规章制度，通过制度管理，保障校本课程开发、实施的顺利推进。系统研究，认真实施课程的各项评价，逐步建立和完善学校自律的课程内部评价机制，提高课程开发、实施的质量。

课程是学校教育的核心载体，是学生获得发展的宝贵资源。学校课程整合正是以学生的发展为价值取向，从学生的成长需要出发，以提供强有力的课程支撑来为每一个学生提供发展的机会。课程整合，增强了学习的有效性，让课堂、学校焕发出生命的活力。课程整合使师生发展和课程建设融为一体，真正建立起师生共同发展的课程体系。课程整合促进了学生的成长、教师的专业发展和学校的发展。

我校努力通过课程整合，让智慧课程引领学生学会学习，进一步提升学生的学习能力；让课程整合成为体验生命成长的丰富经历，为学生提供更广阔的学习空间和选择机会，满足学生不同潜能开发的需要；通过课程整合架设通达智慧人生的桥梁，促进每一个孩子的可持续发展。

金水区实验小学智慧课程实施纲要（一年级上学期）

课程名称	一年级智慧课程		
适用年级	一年级	总课时	120

课程简介	金水区实验小学一年级智慧课程秉持课程整合的理念，将各学科中相关的知识点进行提炼融合，以主题活动的形式在每天下午分版块实施。一年级智慧课程以春、夏、秋、冬四季为主线串联起各个主题活动，符合自然规律和学生的认知规律，引领学生在活动中进行体验性学习，体现了让学习真实地发生这一理解。本课程是一门综合性强、学生全员参与的学科知识融合的课程。
背景分析	目的和意义： 1.一年级学生通过智慧课程的学习能够尽快适应小学生活，融入学校这个大家庭。 2.在智慧课程的学习中通过活动体验等符合一年级学生认知水平的教学方式帮助他们了解四季的特点，学习和季节有关的知识点。 3.打破了学科间的界限，通过整合课程资源，避免了知识传授的碎片化，提供给学生完整的知识体验。 4.各科知识点的整合设计和走班上课的教学模式，减轻了教师的教学压力。教学资源共享，提高了教学效率。 学情分析： 一年级学生天性活泼好动，思维活跃，对新鲜事物极具探索欲，体验性学习和参与性强的活动是他们最喜欢的。 教师分析： 一年级的各科教师在充分研讨的基础上，对智慧课程有了初步的想法和了解，有了自己对课程的思考。我校重视智慧课程的开发与实施，先后成立课程委员会和课程领导小组，保障课程的顺利实施。学校将我们年级组的教师调配到一个办公室，便于随时教研，增强了教师的课程研发意识和实施能力。

主题课程及开设原因	一年级上学期的主题课程为：开学课程（习惯礼仪、队形队列、大手拉小手、我要认识你）、节日课程（教师节、国庆节、元旦）、秋季课程（秋天的故事、诗意的秋、秋天的果实、秋天的树叶）、冬季课程（小动物过冬、冬天的雪、冬天的歌曲、我眼中的冬天）。 　　设置每个主题课程的原因： 　　（1）开学课程：对刚入学的学生进行行为规范和礼仪教育，帮助他们熟悉校园、老师、同学，快速地融入学校大家庭中。 　　（2）季节课程：一年四个季节，每个季节都有各自的特点。通过各式各样的季节课程，让一年级的孩子明白四季的特征。 　　（3）节日课程：主要以中国的传统节日为主，让学生在了解每个节日的由来、意义的同时，更加了解自己祖国的历史文化。 　　（4）家长课程：课外的资源也是很丰富的，通过家长课程的开设，将更多课外资源引入课堂，开拓学生的视野。
学习主题／活动安排（请列出教学进度，包括日期、周次、内容、实施要求）	金水区实验小学一年级上学期 智慧课程安排表

	主题名称	课时
第一周	集体备课阶段	5
第二周 （4课时）	开学课程之排队（1）	1
	开学课程之习惯	1
	节日课程之教师节（1）	1
	开学课程之大手拉小手（1）	1
第三周 （5课时）	开学课程之我要认识你（1）	1
	开学课程之我要认识你（2）	1
	节日课程之教师节（2）	1
	开学课程之大手拉小手（2）	1
	家长课程	1

学习主题/活动安排（请列出教学进度，包括日期、周次、内容、实施要求）	第四周(5课时)	开学课程之礼仪	1
		开学课程之好朋友（1）	1
		开学课程之排队（2）	1
		开学课程之早睡早起	1
		家长课程	1
	第五周(5课时)	开学课程之好朋友（2）	1
		开学课程之好朋友（3）	1
		节日课程之国庆节	1
		节日课程之中秋节（1）	1
		家长课程	1
	第六周(国庆节放假)		
	第七周(5课时)	季节课程之秋天的活动（1）	1
		节日课程之中秋节（2）	1
		季节课程之秋天的活动（2）	1
		季节课程之秋天的果实（1）	1
		家长课程	1
	第八周(4课时)	季节课程之多彩的秋天（1）	1
		季节课程之多彩的秋天（2）	1
		季节课程之秋天的故事（1）	1
		家长课程	1

学习主题／活动安排（请列出教学进度，包括日期、周次、内容、实施要求）	第九周 (5课时)	季节课程之多彩的秋天 (3)	1
		季节课程之多彩的秋天 (4)	1
		节日课程之重阳节 (1)	1
		季节课程之秋天的果实 (2)	1
		家长课程	1
	第十周 (5课时)	节日课程之重阳节 (2)	1
		节日课程之感恩节 (1)	1
		节日课程之感恩节 (2)	1
		季节课程之秋天的果实 (3)	1
		家长课程	1
	第十一周 (5课时)	季节课程之秋天的树叶 (1)	1
		季节课程之秋天的故事 (2)	1
		季节课程之秋天的故事 (3)	1
		季节课程之秋天的故事 (4)	1
		家长课程	1
	第十二周 (5课时)	季节课程之奇妙的冬天 (1)	1
		季节课程之奇妙的冬天 (2)	1
		季节课程之秋天的树叶 (2)	1
		季节课程之小动物过冬 (1)	1
		家长课程	1

学习主题/活动安排（请列出教学进度，包括日期、周次、内容、实施要求）	第十三周（5课时）	季节课程之秋天的故事（5）	1
		节日课程之感恩节（3）	1
		季节课程之秋天的故事（6）	1
		季节课程之小动物过冬（2）	1
		家长课程	1
	第十四周（5课时）	节日课程之感恩节（4）	1
		节日课程之感恩节（5）	1
		季节课程之奇妙的冬天（3）	1
		季节课程之小动物过冬（3）	1
		家长课程	1
	第十五周（4课时）	节日课程之感恩节（6）	1
		季节课程之奇妙的冬天（4）	1
		季节课程之秋天的树叶（3）	1
		家长课程	1
	第十六周（4课时）	节日课程之快乐过新年（1）	1
		季节课程之堆雪人（1）	1
		季节课程之堆雪人（2）	1
		家长课程	1
	第十七周（3课时）	节日课程之快乐过新年（2）	1
		节日课程之快乐过新年（3）	1
		节日课程之圣诞节（1）	1
	第十八周（3课时）	节日课程之快乐过新年（4）	1
		节日课程之圣诞节（2）	1
		家长课程	1

评价活动/ 成绩评定	（1）课堂精彩发言卡 　　课堂精彩发言卡是为课堂积极发言学生而设置的奖励卡，可以更多地激发学生在遵守规则的前提下积极发表自己的看法。 　　（2）评价表 　　期末时，会根据学生整个学期的各项表现制作"期末评价表"，对每位学生一学期的各项成绩做总结，并评等级。 　　（3）活动反馈 　　主题活动后，我们会制作"反馈卡"发给学生，让学生和家长填写活动的收获和感受，也会让孩子们在班里和大家分享。 　　（4）举例 　　以"大手拉小手"活动为例，结束后，我们收到了很多的反馈。 　　一年级下学期的家长会上，我们向家长介绍了上学期开展的主题课程，并介绍了课程实施的情况。家长会结束后，发给每位家长一张"金水区实验小学'主题课程'家长征求意见表"。通过该表我们看到了很多的赞扬和支持，也得到了很多宝贵的建议。 　　其中一位家长说："我认为智慧课程最大的优势是开发与实践，给每一位学生的发展提供了新的舞台，深入推进素质教育，促进了小学生的全面发展。" 　　通过反馈可以看出，这样的课程深受学生和家长喜欢。看到学生洋溢着微笑的脸，我们感到十分欣慰，顿时觉得付出的所有辛苦都是值得的，学生和家长的好评就是对我们最大的鼓励！ 　　（5）荣誉护照 　　我校一年级的老师们结合智慧课程的实施为学生量身定制了"荣誉护照"——一种全新、活泼的评价形式，它是一年级所有教师智慧的结晶，它将独立的学科评价融合在一起进行评价和实施。
备　　注	

主题一：开学课程

　　为了让刚入学的孩子能更好地养成良好习惯，学会文明礼仪，熟悉校园、老师、同学，快速地融入学校大家庭中，我们将开学课程具体分为"排队""大手拉小手""习惯、礼仪""我要认识你""好朋友"等几个版块。

　　开学课程设计的目的就是引导学生尽快融入小学生活，为新学期的学习做充分准备。

版块一：开学课程之排队

《大家来排队》课程设计

课程内容：

各种各样的排队方式。

学情分析：

1. 一年级的学生年龄小，注意力不易集中，兴趣难持久，依赖性强，加上室外体育课干扰因素多，课上很难自我约束。

2. 学生的模仿能力强。抓住他们的这种特点，采用多种形式来进行教学。多鼓励和奖励学生，鼓励他们认真学习，开发他们的想象思维和创造能力，引导他们把学习和生活紧密地联系在一起。

3. 小学一年级学生年龄小，存在体质普遍较弱、不擅长运动的现象，所以在室外活动课中易兴奋，精神不易集中，对于说教过多、技术要求过高的教学不易被接受。相反，他们对于直观的、易于模仿的体育课比较喜欢，学习兴趣较高。

课程设计理念：

一年级新生刚入学，基本上还保持着幼儿园及家里的一些行为习惯，对学校的行为要求、课堂纪律还很陌生，没有上课的概念，课上随意走动，课堂纪律难以维持。因此，结合学生的心理特点，以激发学生的活动兴趣和课堂常规教育为重点，通过生活化、游戏化的活动，创设和谐课堂，形成良好的学习氛围，促进学生的全面发展。

课程目标：

1. 引导学生知道排队的作用，并能遵守排队规则，不插队、不掉队。

2. 引导学生积极参与讨论，提出解决排队中常见问题的方法。

3. 引导学生体验遵守排队规则的快乐并能友好地与同伴相处。

课程评价实施：

制定学生排队评价标准，如队列、队形等指标。

教学过程：

1. 室内部分

(1) 绘本导入，激发学生的学习兴趣，调动学生积极性。

(2) 出示图片，引导学生观察并大胆说出图片内容，引出这节课的主要内容——排队。

(3) 播放视频，加深学生对排队重要性的理解。

(4) 室内小游戏：开火车。通过游戏将全班学生按照颜色分成四组（红、黄、蓝、绿）。

(5) 模仿韵律操。播放韵律操视频，让学生自主进行各种模仿练习。

2. 室外部分

(1) 游戏一：我会排队。设置四个游戏，安排在操场，在各组领队的带领下到指定地点进行游戏。在游戏中体会排队规则并愉快地与同伴相处。

(2) 游戏二：快快集合。游戏中会随机播放两种音乐（排队音乐和韵律操音乐），当排队音乐响起时，老师任意举起一小组颜色的旗子，该组成员到老师面前集合。其他小组成员保持原地不动。比一比哪一组集合得又快又好。

课程实施掠影

练习排队的一年级小朋友

课程实施感悟

文明素养从学会排队开始

教过一年级的老师们都知道，刚入学的一年级小朋友在排队时非常令人头痛。当听到老师说排队的时候，他们便会表现出比老师高十倍的热情，迅速拥挤到一起，你推我，我挤你，乱成一锅粥。作为老师的我们干着急，而学生们却乐此不疲。其实，出现这一现象，那是孩子的本真使然，这是一年级新生的特点，还没有经过课堂教育的他们，热情很高，可是没有可行的方法，所以乱作一团。究其原因，首先是学生没有静下心来听老师讲要求，其次是学生没有真正了解排队的方法。那么，怎么才能让学生快速安静地排好队呢？一年级孩子，刚入学，像放养的动物一样，想让他们一下子适应圈养的生活，是要下一番功夫的。

课程中，我故作神秘地对学生们说："我在生活中发现了很多不文明现象，你们能找到吗？"通过播放视频紧紧抓住学生们的注意力，看完视频后不少孩子告诉我，"有的同学不按秩序排队走路""有的叔叔阿姨没有自觉排队"。我提出："那怎么解决这个问题呢？你们帮老师想想吧！"孩子们纷纷提出了建议，有的说"可以让自己在楼道里监督"，有的说"把交警叔叔请到学校里来"，有的说"把怎样自觉排队拍成视频，全班同学当演员，既教育了自己，还可以让其他班学习"。

多么好的建议啊！多么可爱的孩子啊！大家在你一言我一语中，明确了排队的意义及重要性，然后讨论确定在校园中哪些地方需要排队，明白了楼道、楼梯、厕所、餐厅等处需要排队。接着孩子们分成小组，讨论、演示在不同的地方该怎样排队。

在排队这件事中，我并没有像往常一样苦口婆心地劝阻，也没有义正词严地说教，而是让学生观察丰富多彩的活动自我思考、自我发现、自我教育，这是一条十分有效的途径。我注意引导学生多留意身边的小事，多动脑筋想一些解决的办法。在活动中强调学生的自我体验、自我选择、自我创新、自我感悟，充分发挥学生的潜能，从而达到育人的目的。

　　做一年级老师辛苦，但也有别人尝不到的甜蜜。一年级孩子天真、幼稚、单纯、可爱，他们幼小的心灵还如同一张洁白的纸、一方未垦的田、一株新生的幼苗，等待我们去描绘、开垦、培育，他们也带给我们无尽的希望和热情。

版块二：开学课程之大手拉小手

《大手拉小手》课程设计

课程内容：

大手拉小手——五年级学生带领一年级学生认识、熟悉校园。

学情分析：

一年级小朋友进入新的环境，感觉新鲜，对于自己已经成为一名小学生，在心理上有自豪感。但这一年龄阶段的孩子交往意识弱，朋友少，在新的环境中，他们缺少安全感，面对陌生环境会手足无措，产生恐惧。而五年级学生在小学阶段处于大哥哥、大姐姐的地位，对母校充满感情，具有组织性、纪律性和勤奋、坚毅等优良品质，独立意识和成人感增强，他们不希望老师、家长把他们当小孩对待。鉴于此，让五年级学生带领一年级小朋友参观、认识校园，是双赢的选择。

课程设计理念：

1. 让一年级的新同学熟悉、认识校园，消除陌生感、恐惧感，爱上新学校。

2. 增强学生的责任感及主人翁意识，并体验成功的喜悦。

3. 增进不同年级学生间的友谊。

课程目标：

1. 使一年级新同学熟悉、认识校园，消除陌生感。

2. 增强同学们的责任感及主人翁意识。

课程评价实施：

1. 五年级班主任老师对五年级学生的活动表现进行即时评价。

2. 五年级学生对一年级所认领学生的表现进行即时评价。

3. 评价表见附件3、附件4。

时间安排：

9月5日－7日13：50－15：10。

活动准备：

9月6日上午，各班本次课程负责人要与五年级三个班主任对接，递交本次活动设计、一年级新生名单、附件1、附件2、附件3、附件4，并请班主任老师布置相关事项。（见附件1）

教学过程：

活动一：认识校园（明确具体位置，不进入室内）

时间：9月5日－7日13：50－14：40

1. 13：50，五年级各班排队到一年级教室认领新生，送上贺卡。

2. 带领一年级学生认识餐厅、厨房、寝室。

3. 带领一年级学生认识卫生间。

4. 带领一年级学生认识学校教室、功能室（图书室、美术教室、音乐教室、科学实验室、计算机室、多媒体功能室、录播室等）。

温馨提示：

在认识各功能室期间，五年级学生向一年级学生介绍学校生活，包括早读、课间、读书、练字等。

活动二：参观学校写字课

时间：9月5日－7日14：50－15：10

1．五年级学生向一年级学生介绍写字前学生应该做的准备（净手、静心）。

2．参观各班练字情况，注意要轻声慢步，不能打扰正在练字的学生。

3．15：10，五年级学生务必准时把一年级学生送回各自教室。

4．15：15，五年级学生返回各班教室，认真填写"大手拉小手"活动评价表并上交。

温馨提示：

1．请再次告知学生：全程要轻声慢步细语，不影响其他师生的正常教学和学习。

2．安全参观，按预先设计路线参观，不随意变更路线。

3．请于9月7日下班前将活动评价表以班级为单位交陈琳老师处。

4．负责本次活动的老师要按时到位，全程参与，保证学生安全及活动有序开展。

金水区实验小学一年级课程组

2017年9月

附件1：

"大手拉小手"活动准备指南

1. 活动时间：9月7日13：50－15：10，请班主任老师合理安排时间。

2. 请五年级班主任老师于9月4日对本次"大手拉小手"活动进行动员，并宣读活动设计与安排。（该班活动当天再重复一遍）

3. 请五年级班主任老师9月4日组织学生填写"大手拉小手"认领统计表（附件2）。填写后，于9月4日下班前交陈琳老师处。

4. 请五年级班主任老师布置作业：每人制作一张精美的贺卡（认领几个学生做几张），于活动日认领时送给一年级小朋友，注意契合"大手拉小手"活动主题。

对您的支持与付出，表示感谢！

一年级课程组

2017年9月

附件2：

五（1）班"大手拉小手"认领情况统计表（2017年9月）

五（1）班学生姓名	一（1）班学生姓名

附件3：

五（1）班"大手拉小手"活动评价表

评价人：＿＿＿＿＿＿＿＿

学生姓名	轻声慢步，安全参观（50分）	细心呵护，认真讲解（50分）	合 计

备注：此表由五年级班主任填写。

附件4：

<h1 style="text-align:center">一（1）班"大手拉小手"活动评价表</h1>

小朋友姓名：_____

评价内容	评价等级
听从指挥，服从安排	☆ ☆ ☆ ☆ ☆
轻声慢步，文明参观	☆ ☆ ☆ ☆ ☆
细心认真，不懂就问	☆ ☆ ☆ ☆ ☆

评价人：五（1）班_____

课程实施掠影

高年级同学向低年级同学介绍学校生活

课程实施感悟

我的课程故事之"大手拉小手"

基于五年级和一年级同学的不同学情，我们在开学课程中设计了"大手拉小手"活动，要求五年级学生为一年级新生制作"欢迎卡"。本来以为五年级的孩子能带领一年级的孩子顺利完成此次活动都已经不错了，但是这真是一个让人意外的"惊喜"，有好多孩子在自己制作的"欢迎卡"上，写下了对小弟弟、小妹妹们诚挚的祝福和诚恳的建议。这些五年级的孩子，通过此次活动，对自己五年的学习生活进行回顾和梳理，再将自己的得失告诉学弟、学妹们，不仅帮助了别人，自己也获得了成长。

高年级同学展示自己制作的"欢迎卡"

在此次活动中，我们随班老师穿梭在孩子中，查看活动的进展情况，了解孩子们的动态。五年级孩子有的在展示墙前向学弟、学妹们介绍我校的各种活动，有的在安全教育栏前教学弟、学妹们安全常识，有的在教师风采墙前向学弟、学妹们介绍他们的授课教师，还有的带领着一年级的小朋友们逐一认识各种功能室……这分明是我校学风的传承！

　　这样的智慧主题活动，受益的不仅仅是一年级的孩子，同时也激发了其他年级孩子的潜力，开发了他们的能力。一个年级的活动激发了全校师生的热情，让师生都有所得，这也是智慧课程的魅力之一。

版块三：开学课程之习惯、礼仪

《习惯、礼仪》课程设计

课程内容：

以习惯、礼仪的教学和日常行为规范为主要内容。

学情分析：

一年级学生刚入校，对于学校生活需要逐步适应。做好幼小衔接，对小学生在校习惯、礼仪进行明确、训练，能让学生尽快适应小学生活。

课程设计理念：

通过对刚入学新生习惯、礼仪方面的规范，让一年级学生尽快适应小学生活，养成好习惯，成就大未来。

课程目标：

1. 引导学生了解小学入学新生应该养成的好习惯。

2. 使一年级新生尽快适应校园生活，养成好习惯。

课程评价实施：

依照学校常规指南等，各科教师对学生进行持之以恒的要求、训练、检查、评价。

教学过程：

第一课时

一、认识学校

导入：亲爱的小朋友们，从今天开始，你们就是金水区实验小学的小学生了。大家知道在学校都要做什么吗？出示课件，引导学生认识学校办学理念和校训。

办学理念：营造书香校园，共享智慧人生。

校训：一笔一画写好字，一字一句读好书，一点一滴做真人。

带领学生认读并向学生讲解。

二、上、下课礼仪

1. 过程规范

静息：听到铃声立即静息（脸部统一面向教室门的对面）。

教师：上课！// 班干部：起立！// 教师：同学们好！// 学生（站起在凳子两边，向左、向右跨半步）齐说：老师好！// 教师：请坐！

教师：下课！// 班干部：起立！// 教师：同学们再见！// 学生（站起在凳子两边，向左、向右跨半步）齐说：老师辛苦了！// 教师：请坐！

2. 练习方法

采用小组分别练习的方法，反复练习，要求问好声音洪亮、整齐，站立整齐，没有推拉桌椅、板凳的声音。

三、课堂习惯

1. 要求

（1）听讲坐姿：双手平放在桌面上，屁股坐凳子的1/2，身体坐直，眼睛平视。

（2）书写要求：（借助百日字功）书本放正。

握笔姿势要求：老大老二对对齐，手指之间留缝隙，指离笔尖一寸远，一拳一尺记在心。

书写坐姿：头正、身直、臂开、足安。

（3）读书要求：食指指读，书与桌面成60°，读完将书本轻轻合在一起，放进桌子。

（4）发言要求：举手先举右手（肘撑桌，手臂与桌面成90°），经允许后进行展示，展示时自信表达，声音响亮。

（5）课前准备：下课后学生拿出下节课所用文具，放在桌子左上角（如果下节课不在教室上，桌面上不摆放任何物品）。

2．训练方法

通过教师出示图片、示范，同桌检查，分组检测的方法进行训练。

四、物归原处习惯

1．物品摆放要求

（1）课桌内物品摆放：书放一起，小书在上面，大书在下面，放在桌内左侧。其他物品放在桌子右侧。书包统一挂在课桌外侧。

（2）下课后，学生拿出下节课所用文具，放在桌子左上角（如果下节课不在教室上，桌面上不摆放任何物品），凳子扣到桌子下方。

2．训练检测方法

教师示范，同桌互相检查，每天教师抽查，学校大队部每天检查。

五、复习

第二课时

一、行队礼

1. 敬队礼是少先队的最高礼节，在队日活动仪式、新队员入队仪式、升国旗仪式、少先队检阅仪式、少年先锋岗仪式等重要的少先队集会上要敬队礼；少先队员在为来宾和英雄模范人物敬献红领巾后、接受奖品（牌）前向发奖人敬礼。平时，少先队员遇到老师、长辈也应敬队礼，手中持有物品时可不行队礼，而行鞠躬礼。

2. 行礼要求：立正，右手五指并拢，高举头上，行少先队队礼。

3. 教学方法：教师出示图片、示范，同桌互相敬礼。

二、校园礼仪

1. 不大声喧哗，交谈的声音两个人能听到即可。

2. 教学楼内不奔跑、不打闹，轻声慢步。

3. 不带零食、不吃零食。

4. 没有经过别人的允许，不能随便拿别人的东西。

备注：班级设一名安全员，负责检查、总结。

三、餐厅礼仪

1. 要求

（1）排队进入餐厅，在指定位置就座，不随意更换位置，做到有序无声。

（2）饭前洗手，饭后漱口洗嘴，就餐时不说话。

（3）盛饭不加队、不拥挤、不说话，有事及时向老师报告。

（4）不挑食、不暴饮暴食、不剩饭。不往餐厅带零食，不将食品带出餐厅。

（5）餐后将桌面收拾干净。

2．练习、评比方法

（1）带学生朗读餐厅礼仪要求。

（2）小组评出就餐礼仪之星。

四、行为礼仪

父母是孩子的第一任老师，父母在习惯、礼仪方面的行为直接影响学生。老师在家长会上要跟家长沟通礼仪方面的内容。行为礼仪有这样一些要求：

1．不随便乱扔垃圾，看到垃圾要捡起扔到垃圾篓内。

2．不说脏话。

3．早上按时到校，排队进校。若来得早，在指定位置排队等待入校。

4．有事情和老师沟通，不要无理取闹。

5．和同学和睦相处，不能追逐打闹。

6．课间只能在班级门口范围内活动，做有意义的游戏，时刻注意安全。

五、复习好习惯，评比优胜组

按班级座位分组复习习惯、礼仪，评出优胜小组。

六、每周评比礼仪之星，发奖状表扬

课程实施掠影

正在学习教室礼仪的同学们

认真学习敬队礼的同学们

课程实施感悟

养成好习惯，成就大未来

　　一年级学生刚入校，对于学校生活需要逐步适应。怎样做好幼小衔接？大家经过商议，决定将小学生在校习惯、礼仪作为开学重要课程，对学生进行明确要求、针对训练，能让一年级的小朋友尽快适应小学生活——养成好习惯，成就大未来。

一年级的孩子刚入学，对小学的学习生活充满了无限的好奇，每次在上课之前，孩子们都会围着老师问，"老师，这节是什么课呀？""老师，这节课讲什么呀？""老师，今天你要讲什么内容呢？""老师，这节课我们学什么呢？"……看着孩子们对上课的兴致这么高，我们一年级组全体老师决定开学初期的主题课程为"习惯、礼仪"，通过对学习、听课、坐姿、发言等习惯的规范，让一年级的小朋友们在刚入学时就养成良好的习惯。

加入"中国少年先锋队"是一年级一项很重要的事情。因此，在设计课程时，我将"队列礼仪"放在了开学课程——习惯、礼仪中。在一（1）班上"礼仪篇"的时候，先通过PPT向小朋友们展示标准的队礼："右手五指并拢，高举头上。行队礼时，要身体立正，眼睛平视前方，神情庄重、严肃，手掌由胸前自下而上举过头顶，手掌和小臂成一条直线，不可将手掌心向前翻出，手掌掌心应朝左下，手掌距前额上一拳。臂肘压向肩外，将头、脸、肩露出。它表示人民的利益高于一切。"并附带图片让孩子们看。

在讲解完之后，全体同学起立，行队礼。一年级的孩子们对这件事情的积极性特别高，每个小朋友都按照老师的要求去做。正在我逐一辅导的时候，突然听见了一阵哭声，寻着哭声走过去，发现在第一排过道边，一个低低瘦瘦的小男孩在哭。于是我走过去，问："你怎么了？"听见我关切的询问，小男孩放声痛哭起来，边哭边说："他们都嘲笑我！"边说还边指着他周围的同学。看到这种情况，我不能放着不管。我继续追问："他们为什么嘲笑你呀？""他们说我的敬礼不规范，所以都笑话我。"听完孩子的回答，我明白了，原来他觉得自己做得很好，可是事与愿违，被周围小朋友笑话了，内心无法接受。我想了想，做了一个决定，先让全班的小朋友坐下，请刚才哭的那个小男生到讲台上。"刚才小朋友们都做得很好，下面我想请这个小朋友给大家行队礼，大家看看他做得规范不规范。"说完，我对着小男孩说："少先队员，敬礼！"话音一落，小男孩很认真地行了队礼，我顺势对队礼进行指导。指导完后，我对小男孩说："谢谢你，小模特，你真棒！"小男孩听了我的话之后，很自信地对我笑了笑，说："谢谢老师！"我又表扬了他："不客气，你真有礼貌。"

这节课之后，这位小男孩每次在楼道里、操场上见到我都会先行一个标准的队礼，然后对我说："刘老师好！"我也会回一句："你好！"看到这样的情景，我很开心。这个开学课程——习惯、礼仪教学是成功的，孩子能将我讲到的用到现实生活中去。同时，我也很欣慰。当时孩子在课堂上哭，我不是严厉地批评他，而是走到孩子身边询问原因。正是因为有这样恰当的处理方式，才会有今天的成果。

孩子的世界是单纯、美好的，需要大人、老师的鼓励，这样孩子才能够逐步自信起来。习惯、礼仪的养成至关重要，孩子的心灵也需要大人的关注。

版块四：开学课程之我要认识你

《我要认识你》课程设计

课程目标：

1. 培养学生学习运用剪、贴、画、写的形式介绍自己。

2. 引导同学们进行自我介绍，锻炼胆量与口头表达能力，培养学生大胆表现的自信。

3. 引导学生完成游戏活动表，并对新环境进行初步适应。

4. 通过班级树，初步培养孩子的集体意识。

教学重点：

学生们自我介绍，相互了解。

教学难点：

师生一起完成"集体大树"的制作。

教具、学具准备：

树十、图钉、彩纸、记号笔、彩笔、安全剪刀。

教学过程：

活动一：

一、组织教学

检查学生用具准备情况及摆放情况。

二、介绍我自己

我们来到了一个新环境，好多新同学，我们大家互相认识一下吧！

教师先进行自我介绍，引导孩子学习如何介绍自己。（例如介绍自己的姓名、年龄、爱好等）

请孩子上台来介绍自己。（自我介绍的孩子人数大于班级总人数的五分之一，视时间和学生人数而定）

三、我想认识你——同学版

同桌，或四人小组互相了解一下。可以是学生们的自我介绍，也可以主动询问自己的同学。

四、律动

根据播放的音乐，同学们一起活动。

五、展示，发放"我要认识你"活动表

1. 看课件，介绍活动要求。告诉孩子一、二年级办公室位置，其他要求详见"我要认识你"教师活动要求。

2. 活动期间安全教育。（下午没有完成的同学利用周二课间的时间继续完成）

3. 周一下午完成签名，孩子回到家里和家长一起写感言，周二全部完成，一起盖章，换表扬信。

活动二：

一、引导学生回忆美术课学习内容

画出自己喜欢的树叶或水果（要求画大），并剪下。

教师出示自己的树叶，写上自己的名字、爱好。（字要写大，要用深色彩笔或记号笔）

引导孩子在自己的小树叶上写上自己的名字，也可以写上自己想表达的，比如爱好、年龄等。

二、集体装扮班级树

1．教师先将自己的树叶装饰在班级树树干上。完成的学生请老师帮忙把自己的树叶装饰上去，逐渐形成一棵茂盛的班级树。教师可边装饰，边评价孩子的作品。

2．为我们的班级树挂牌。在班级树树干上写下一（1）班，一（2）班，一（3）班，及时培养孩子的集体意识。

三、组织教学

请学生们拿出活动表，邀请学生和家长发表活动感言。

四、表扬完成的学生

附件1："我要认识你"活动要求

任务一：认识新老师

每认识一位老师，就在游戏图纸上相应位置请老师签名。本任务共有三大项：认识老师，认识领导，认识同学。每完成一项任务都会在盖章处获得一枚印章。

备注：要求每个办公室至少认识一名老师。活动范围：语文办公室（一）、语文办公室（二）、语文办公室（三）、数学办公室、二年级办公室、科任办公室（一）、科任办公室（二）。

任务二：认识新朋友

每认识一位新朋友，并在游戏图纸相应位置集得朋友签名后可前进一格。认识的新朋友中必须有一名其他年级的同学。

前进五格后算完成本次任务并获得一枚印章。

每得到一个签名后，应该说"×××老师好！谢谢×老师！"或"××哥哥（姐姐）好！谢谢你！"

如果忘了办公室的位置，可以问高年级的同学。

完成签名，回家让孩子和家长写感言。完成游戏图纸并获得三枚印章的同学可以获得表扬信一封。

在开展活动二时，一起盖章，换表扬信。

附件2：

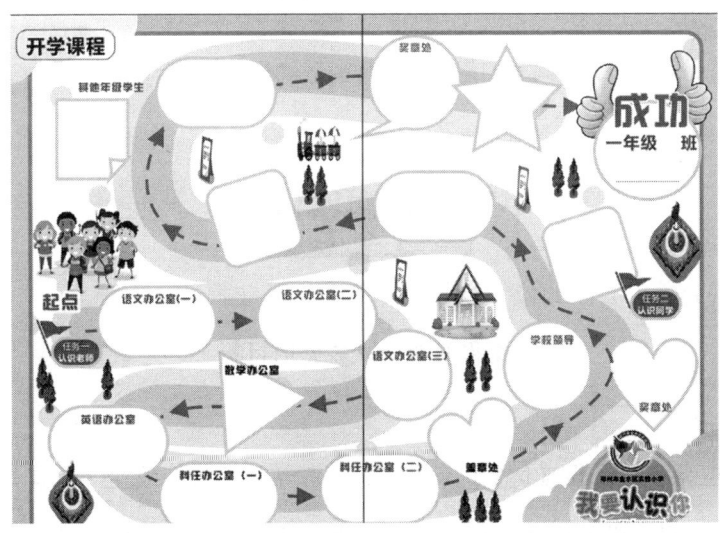

"我要认识你"活动表

课程实施掠影

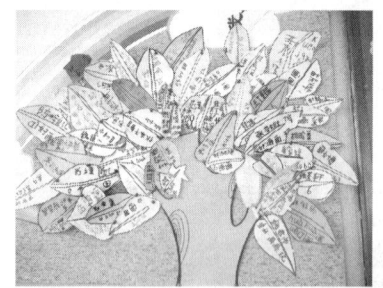
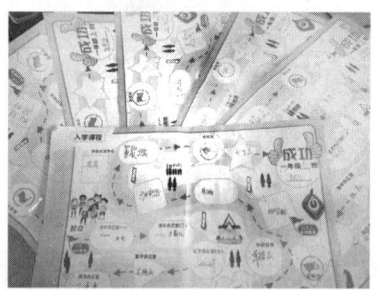

同学们用丰富多样的形式相互介绍

课程实施感悟

课程的融合，多元的目标

一年级智慧课程《我要认识你》，其教学目标初步设定为：首先，向同学们介绍自己，锻炼学生的胆量与口头表达能力，培养大胆表现自我的自信心。其次，通过游戏完成活动表，并对学校这个新环境进行初步适应。我们一年级的美术课用的是人美版教材，第一课是《让大家认识我》，其教学目标是：1. 通过游戏活动引导学生初步体验手工，用撕、剪、贴、画的方法表达自己的想法。2. 培养学生对艺术作品的感知能力、造型能力及口头表达能力。3. 在游戏中体验造型表现及与人交往的乐趣，初步建立集体观念和大胆表现自我的自信心。

从这两节课的教学目标来看，完全可以将这两节课相互融合。于是，我们制定了最终的教学目标：

1. 学习运用剪、贴、画、写的形式介绍自己。

2. 向同学们介绍自己，锻炼胆量与口头表达能力，培养自信。

3. 通过游戏完成活动表，并对学校这个新环境进行初步适应。

4. 通过完成班级树，初步培养孩子的集体意识。

这样一来，美术课《让大家认识我》教学目标就可以直接在下午的智慧课程中得以实现，并且两节连上的课时安排，让"学生自我介绍"和"制作班级树"环节得到更好的实施，让更多的孩子有展现自我的机会。学生、老师和家长的反馈也很不错，这是一次比较成功的主题课程。

版块五：开学课程之好朋友

《好朋友》课程设计

课程主题：

好朋友。

学情分析：

刚入学的一年级新生，面对全新的学习、生活环境，既充满了新鲜、好奇，也难免有一些紧张和不安。教师应创设宽松、温暖的气氛，帮助学生消除紧张、不安、陌生的情绪，让学生在愉悦的气氛中认识和熟悉同学，了解班集体中的每一个成员，认识更多的新朋友，体验到集体生活的快乐。

课程目标：

1. 引导学生熟悉新同学和新老师，体验集体生活的快乐。

2. 引导学生体验成为一名小学生的愉快和自豪。

3. 引导学生学习人际交往的初步知识和技能。

教学准备：

电子绘本、歌曲、律动音乐等。

教学过程：

活动一：

一、放歌曲《找朋友》

这首歌你会唱吗？让我们跟着音乐一起拍手唱歌吧！

二、律动视频

与同学们一起随着音乐舞动吧！

三、揭示课程主题"好朋友"

下面，我们一起来学习今天的主题课程《好朋友》。

四、组织室外游戏"找朋友"

1. 全班分成四组，围成圆圈。

2. 集体齐唱歌曲《找朋友》，一名学生在圈内边唱边拍手找朋友。

3. 找到朋友后，第二个小朋友给大家介绍自己（名字、爱好等），然后继续找朋友。介绍时，老师维护课堂秩序，带领同学们安静、认真地倾听新朋友的介绍，鼓励同学们大胆地介绍自己。交流时要讲文明、懂礼貌、守秩序。

五、表演歌曲

学生声情并茂地表演音乐课所学歌曲《你的名字叫什么》《拉钩钩》。

在音乐课上我们学过了两首歌唱朋友的歌，让我们一起来唱唱吧！

活动二：

一、比一比谁的新朋友多

新入学的学生能叫出班上几个同学的名字？带领学生按一定的顺序记

忆，同桌相互记一记、比一比，全班同学一起比一比谁认识的新朋友多。

二、师生讨论（情景模拟）

师：小朋友们，你是用什么方法知道新朋友的名字的？还有哪些认识新朋友的方法？

生：可以看名字卡、课本、作业本封面（可以看名片，可以问别人，可以听老师叫名字）。

生1：我不认识那些字怎么办？

生2：我不敢问老师、同学怎么办？

师：哪些同学愿意帮助他们？怎样帮助他们？

生3：我们可以自己把名字告诉他。

三、聆听绘本故事《好朋友》

四、聊一聊你和好朋友的故事

故事中说到好朋友之间要互相帮忙，一起做决定、公平对待。如果你身边有这样的同学，你可以对他说"你是我的好朋友"。相信你和你的朋友之间也发生了许多故事，请邀请自己的好朋友上台，说说彼此为什么能成为好朋友，或朋友之间一些难忘的事，并接受大家的祝福。

五、将心比心，换位表演

我们与朋友交往的过程中，难免会有一些摩擦，这个时候该怎么办呢？且看以下几个短剧。（根据班级情况编排）

1. 一个同学走路，因路滑不小心踩到另一个同学，被踩的同学很气愤，结果两人吵了起来。

2. 一个组长发书，把一本脏书烂书发给某同学，大家互不理解，争吵起来。

3．一个同学没带笔，同桌不想把新买的笔借给别人，以致这个同学未能完成学习任务。

老师：遇到这种情况，如果我们能将心比心，站在别人的角度去想一想，也许结果会不一样。大家看……

4．踩到人的同学连忙说"对不起"，另一个同学也说"没关系，路滑也难免会这样，我们大家一起小心点走就是了"，两人高兴地离去。

教师小结：在交往中，只要我们能多为别人想一想，多站在别人的角度去看问题，其实很多问题或矛盾都是很容易解决的，并且还能增进双方的友谊呢!

活动三：

一、互相赞美

同学们自由发言：说出你最想赞美的同学，并说出你要赞美的话，如："你写得字很漂亮，我一直很佩服你。""你学习真勤奋，我一直都赶不上你。"接受赞美的同学说："×××同学，谢谢你!"

教师小结：善于发现别人的优点，适度赞美别人，是进行人际交往、搞好同学关系的一种行之有效的方式。在交往中，要适时表现这种行为，不应取笑别人的缺点，这样我们才能获得更多的朋友。

二、室外游戏："跛子指挥盲人走路"游戏

全班分成若干个小组，每队成员两人，一个当"盲人"，一个当"跛子"。由每组的"盲人"拉着"跛子"，"跛子"指挥"盲人"前进，从操场规定的一侧，走到线前方10米处绕红旗回来，然后再换下一队，最快轮完的一组获胜。身体的接触可以拉近人与人的心理距离，有利于增进同学间的友谊。

三、老师总结

今天我们在有趣的活动中感受到了学校生活的快乐，认识了许多新朋友。以后我们就要在这个温暖的集体中一起生活、学习、游戏了，我希望大家都能成为好朋友，成为快乐的小学生。

四、欣赏并学唱歌曲《友谊地久天长》

课程实施掠影

通过游戏让同学们相互熟悉起来

课程实施感悟

在交往中成为好朋友

刚入学的一年级新生，面对全新的学习、生活环境，既充满了新鲜、好奇，也难免有一些紧张和不安。教师应创设宽松、温暖的气氛，帮助学生消除紧张、不安、陌生的情绪，通过学唱歌曲《找朋友》让学生在愉悦的气氛中认识和熟悉同学。这首歌的歌词本身很好理解，孩子一听就知道唱什么，懂什么意思，如敬个礼，握握手。一年级孩子对这些是有经验的，所以孩子乐意去说、去唱。动作方面，跟着音乐简单地拍手、踏步、握手，或是找好朋友拥抱一下，孩子们也很感兴趣。让孩子学会安静、认真地倾听新朋友的介绍，大胆地向朋友介绍自己，从而了解班集体中的每一个成员，认识更多的新朋友，体验到集体生活的愉快，明白交流时要讲文明、懂礼貌、守秩序。

在教学中，还有以下活动可以表现和增进好朋友之间的友谊。如"比一比谁的新朋友多"，通过全班比赛，刺激孩子认识更多的新同学，加强交流。师生讨论"认识新朋友的方法"，有学生总结出来看名字卡、课本、作业本封面等，有的说可以做名片互相发放，有的说可以问别人，有的说可以听老师叫名字。聆听绘本故事《好朋友》，认识、感悟友谊的真谛，好朋友之间要互相帮忙。"聊一聊你和好朋友的故事"，老师请一些同学邀请自己的好朋友上台，说说彼此为什么能成为好朋友，或朋友之间一些难忘的事，并接受大家的祝福。"将心比心，换位表演"，在与朋友的交往过程中，难免会有一些摩擦，这个时候该怎么办呢？学生采用编排小情景剧的方式呈现出了这个过程，让人耳目一新。

通过本次主题课程的实施与开展，师生共同总结出，在交往中，只要我们能多为别人想一想，多站在别人的角度去看问题，其实很多问题或矛盾都很容易解决，并且还能增进双方的友谊呢！

版块六：开学课程之早睡早起

《早睡早起》课程设计

课程主题：

早睡早起。

课程内容简介：

本课主要是引导学生按时作息，养成独睡的良好习惯。

课程目标：

1. 引导学生通过学习知道为什么要早睡早起，怎样才能早睡早起，并坚持做到早睡早起。学生参与制定作息时间表。知道时间宝贵，做事不要拖拉。

2. 引导学生在讨论交流、情景模拟表演等活动中，体会早睡早起的重要性。

3. 引导学生认识到养成良好的生活习惯的重要性，从小养成健康的生活方式。

教学内容：

引导学生回顾自己以往的作息规律，思考怎样安排作息时间才是合理的、科学的。

学情分析：

有的小朋友每天睡觉的时间由父母决定，指令由父母发出，每天起床都由父母叫醒，长期下去就形成了依赖的习惯，缺乏独立生活的能力。

教学过程：

一、谈话导入

同学们，爸爸妈妈有时会工作到很晚，在父母不在身边的情况下，你们每天晚上几点钟睡觉呢？请你们谈谈自己的看法。

二、新授

版块一：几点睡，才合适

同学们讨论晚睡的原因。教师引导学生展开充分的交流，并在此基础上进行分析。

针对这些不能早睡的原因，同学们要如何克服？怎样才能保证每天睡眠10个小时？

版块二：没早睡，真糟糕

讨论睡眠不足有什么害处，引导学生进行讨论交流。

睡眠不足的害处不仅仅是课堂睡觉，更重要的是对我们的生长发育有很大的害处。请同学们看录像，看看医生博士是怎么说的。

版块三：早点睡，按时起

同学们，爸爸妈妈不在你们身边，爷爷奶奶年纪又大了，你们怎样不让爷爷奶奶操心，早上自己按时起床呢？（引导学生买闹钟，自己定时间，自己制定作息时间表）

同学们，你们学会了如何规划生活，制定了作息时间表，那怎样才能保证做到呢？建议大家设计一个表格，每天记录自己的睡眠情况、起床情况，以此来管理好自己。

版块四：交流分享

希望依赖父母、尚未跟父母分床睡的学生，可以早些独立起来。我们可以说一说方法，体会独处的感觉，邀请同学分享。

课后作业：

设计一份作息时间表，记录一个星期的作息时间，自己独立完成。

资料链接：

小学生的睡眠时间

3月21日是世界睡眠日。世界睡眠日设立的目的是引起人们对睡眠重要性和睡眠质量的关注，提醒人们要关注睡眠质量及健康。

充足的睡眠、均衡的饮食和适当的运动，是国际社会公认的三项健康标准。作为人体每天的"必修课"，睡眠可以恢复精神和解除疲劳。2007年，《中共中央国务院关于加强青少年体育增强青少年体质的意见》明确指出，要制定并落实科学规范的学生作息制度，保证小学生每天睡眠10小时，初中学生每天睡眠9小时，高中学生每天睡眠8小时。

课程实施掠影

时间	活动内容
7:00	起床
7:10	早餐
7:30	上学
7:40	到校
8:00	上课
8:40	下课
11:22	午饭
12:12	大课间
12:42	午休
13:42	起床
13:45	上课
15:45	放学
16:10	写作业
18:00	晚饭
20:00	洗澡
20:30	睡觉

同学们制作的时刻表

课程实施感悟

好习惯，从早睡早起开始

有的孩子每天睡觉的时间由父母决定，每天起床都由父母叫醒，长期下去，孩子就养成了依赖的习惯，没有了独立生活的能力。设计本次课程主要是为了让学生知道为什么早睡早起，怎样才能早睡早起，怎样才能坚持做到这些，养成良好的作息习惯。

在讲课之前，先让孩子们了解各个阶段学生应该睡几个小时，从而使他们知道小学生每天要保证睡够10个小时。接着导入问题：你平时都几点钟睡觉？晚睡的孩子为什么晚睡，要怎样克服呢？睡眠不足的害处，不仅仅是课堂睡觉，更重要的是对我们的生长发育有很大的害处。观看录像，我们一起了解医生是怎么说的，让孩子们知道睡眠不足会影响很多事情。为了让孩子们自己养成独立自主的早睡早起好习惯，我让孩子们说一说如果父母不在身边，爷爷奶奶年纪又大，要怎样不让爷爷奶奶操心又能自己起床？很多孩子一起喊道定闹钟或者早睡。接着我让大家分享你是自己睡还是跟家人睡，让一些孩子说一说第一次自己睡是什么感觉，有什么小方法能让自己不害怕，同学们都分享了自己的感受。

最后，我给他们留下了一个自己设计时间作息表的作业，并观看了孩子们的作品，孩子们做的很认真，效果非常好。

主题二：季节课程

一年有四个季节，每个季节都有各自的特点。通过为丰富多彩的季节设置课程，让一年级的孩子明确四季的特征，了解四季，感受季节的变化规律，知道四季的有关内容，热爱大自然。

版块一：季节课程之多彩的秋天

《多彩的秋天》课程设计

第一课时

课程目标：

1. 让学生初步了解秋天的一些景象。

2. 引导学生感受秋天的色彩，认识秋天的美。

3. 引导学生尝试表述秋天的美。

4. 培养学生热爱大自然的情感。

教学重难点：

如何引导孩子表述秋天的美。

教学准备：

课件及相关教具。

教学过程：

一、导入新课

炎热的夏天已经离我们远去了，转眼间已经到了秋季，那同学们觉得秋天是什么颜色？

学生回答。

老师总结：秋天真是一个多彩的季节。有红色（枫叶）、有黄色（树叶）、有绿色（松树）、有紫色（葡萄）……今天咱们就来学习《多彩的秋天》。

二、讲授新课

1. 带问题看图片，看到了什么东西？是什么颜色？

出示多媒体PPT，引导孩子们观察秋天，寻找秋天的自然景色。

学生：看到了红色的苹果……

2. 播放视频《彩色的秋天》。

我们在视频里看到了秋天里的好多色彩，你还知道哪些色彩呢？说一说好吗？（引导学生根据视频和已有的对秋天的体验，大胆表述）

学生回答。

3. 播放视频《秋天的景色》。

引导学生学着视频里的文章、句子说说秋天是什么颜色的，试着用美丽的语言来形容一下秋天。

先让孩子们互相说一说，锻炼一下，再找孩子单独回答。（如果孩子说不出来，可以挑一个秋天的图片，让孩子看图说话，降低难度）

教师简评。

三、学习歌曲

播放歌曲《秋天多么美》，学生跟唱学习，可以自己加动作。

四、小结

布置下次活动的准备工具：超轻黏土，一次性纸盘。

第二课时

课程目标：

1. 引导学生回忆学过的秋天的水果，利用彩泥表现各种水果造型，体验创作的快乐。

2. 鼓励学生在创作的过程中，发扬团结协作精神。

3. 引导学生感受秋天的美好，丰收的喜悦。

教学难点：

利用彩泥捏制各种水果造型。

材料准备：

学生自带各种水果、橡皮泥、教学用课件。

教学过程：

一、导入新课

引导大家回忆之前学过的秋天的水果都有哪些？

简单说说它的颜色、样子。引出主题"多彩的秋天——水果"。

二、讲授新课

1. 说说秋天好吃的水果。

师：咱们说说自己吃过的、见过的秋天的水果。

我先说说我最喜欢的水果，大家猜是什么。（它一颗一颗地挤在一起，变成一大串，有的是紫色的，有的是绿色的，甜甜的，酸酸的，太好吃了）

引导同学们一起猜。

2. 彩泥制作。

教授简单的技法：揉、搓、捏、刻。

3. 欣赏视频，制作的范作。（彩泥水果）

4．同桌两位同学，或前后桌同学讨论一下，自己想做什么水果，怎么做。

5．教师演示一个水果，并再次讲解技法运用。

6．请同学们说说自己想制作什么水果，简单说说怎么做。

三、学生制作，教师巡回辅导

四、评价展示

1．小组评选出两件优秀作品进行展示。

2．自愿展示并推销自己的成果。

3．通过对比说说自己作品的不足。

五、欣赏

欣赏拟人化的水果。（老师在黑板上演示给水果添画上手、脚、眼睛等）

六、再次创作

学生畅想并进行再次创作。

七、全班展示，教师总结

将同学们创作的水果放入小组设计的盘子中展示。最后，教师对本堂课进行总结。

第三课时

课程目标：

1．通过学习用超轻黏土制作秋天的树，复习技法的同时掌握新的技法。

2．感受秋天的美好。

3．鼓励学生在创作的过程中，发扬团结协作的精神。

教学难点：

利用超轻黏土捏制秋天的树。

材料准备：

超轻黏土、教学用课件。

教学过程：

一、引入课题

引导学生回忆之前欣赏的秋天的景色，秋天的树。

给你留下深刻印象的是什么？

引出课题"秋天的树"。

二、讲授新课

第一个下午：

1. 出示图片（播放幻灯片《秋天的树》），引导学生观察树的颜色。

提问：图片里有什么颜色？

学生回答：红色、黄色、橙色、绿色……

提问：在这些颜色里，哪些有秋天的特点，是秋天特有的？

学生回答：红色、黄色、橙色……

提问：你能用什么方式表现这么美丽的树呢？

学生回答：绘画、粘贴……

我们今天的方式很特别，就是用超轻黏土来制作你心目中的"秋天的树"。

2. 提问：展示彩泥作品。（出示黏土画作品）

请同学们说一说，这个超轻黏土的作品和我们之前学习的有什么不同？

学生回答：以前学习的是立体的，一个一个的；今天学习的是平面的，像一幅画一样。

提问：你觉得这种画是怎么做的呢？

3．教师演示，或播放制作视频。

在黑板上贴一张蓝色卡纸，或者在站台上放置一张蓝色卡纸。演示一棵树，先用黑色作树干，再用红、黄、橙色作树叶，最后再在树根部贴上小草。

三、学生制作，教师巡回指导

四、展示学生作业，评出你心中最好的作品

五、教师小结评价，提示下节课继续带超轻黏土

第四课时

课程目标：

1．运用上次活动学习的知识，合作一幅大的平面画《秋天的树林》。

2．通过合作完成一幅作品，培养学生团结协作的精神。

3．感受秋天的美好。

教学难点：

利用超轻黏土制作平面画《秋天的树林》。

材料准备：

超轻黏土、教学课件。

教学过程：

一、复习旧知

引导学生回忆上次课学习的知识。

秋天的树特有的色彩以及制作平面彩泥画的方法。

二、讲授新知

老师：今天，我们要做一个大的树林。树林和我们之前做的秋天的树有什么区别呢？

学生回答：画面大了，树多了。

老师：一个同学制作的话时间会很长，大家有什么好的方法吗？

学生回答：合作。

老师：对，咱们今天就来尝试一下同桌两个小朋友共同完成一幅大彩泥贴画——《秋天的树林》。

讲解制作过程：先贴树干，再贴树叶。树和树的颜色要有深浅的区别。

三、学生作业，教师巡回辅导

四、作品展览，同学们互相欣赏

挑几幅有特点的作品，进行自评、互评、师评。

五、小结

欣赏视频《秋天的自然风景》，再次感受秋天的美丽。

课程实施掠影

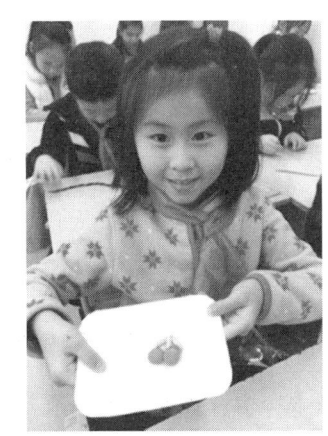

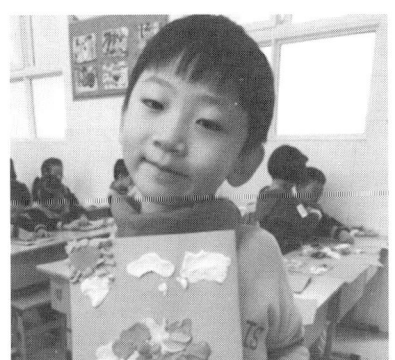

同学们认真制作自己的彩泥水果，并骄傲地展示

课程实施感悟

多彩的秋天，多彩的童年

《多彩的秋天》是我们一年级秋季主题课程中的一课。

在第一课时的时候我就设计了这样一个环节：先播放视频《秋天的景色》，请学生学着视频里的文章、句子说说秋天，试着用美丽的语言来形容一下秋天。我满心期待孩子们的出色表现，可是等到学生来表达的时候，却只听到了"紫色的葡萄""金黄的树叶""红彤彤的苹果"……

难道学生一个句子都说不出来吗？终于有个孩子的表现让我看到了希望，这是一个眼睛大大、斯斯文文的小姑娘。"我觉得，大地就像一个大锅，果实像锅里的食物，秋天像火，把这些果实都煮熟了。"我和同学们给了她热烈的掌声。我正想着说点什么的时候，下课了。

回到办公室，我跟闫彦老师说起了上课的情况，我俩马上进入教研状态。闫彦老师说，对于一年级刚入学的孩子，说一句表现秋天的句子是有难度的。一般要举例、要具体，比如：什么东西怎么了，它像什么……

第二课时一上课的时候，我就把刚学到的用上了。果然，同学们好像有点知道是怎么回事了，真有几个说得不错的。

"秋天吹着凉凉的风，把树叶都吹黄了。"

"秋天是个彩色的树林。"

"秋天像盒水彩笔，把果实都染红了。"

教研效果不错。

假水果，真喜爱

教室里，孩子们一个个超级认真，他们在干什么呢？原来是在制作水果！

每个人的桌子上都摆放着五颜六色的超轻黏土和各种工具，有的孩子在捏香蕉，有的孩子在捏葡萄，有的孩子在捏樱桃，还有的孩子捏起了愤怒的小鸟，栩栩如生，真漂亮！

这是学习了秋天的故事之后，给他们布置的任务。孩子们都很重视，特别是手巧的孩子，更是捏出了各种漂亮的水果和其他物体。我让他们上讲台展示了自己的作品，并讲了作品的意义。讲的孩子发挥自己的想象力，讲的故事吸引了每一个孩子的注意力。

其中有一个孩子引起了我的注意。他是班里年龄最小的孩子，还不太会创作，捏了一会儿什么都不像，看到别人的作品一个个都出来了，他竟然急哭了。我问他哭什么，他说他想捏葡萄，因为妈妈最喜欢吃葡萄，他想把作品送给妈妈，可是怎么捏都不好看。我找来几个捏葡萄的孩子给他传授经验，他很认真地学，很快，他的作品出炉了。他拿着捏好的葡萄来到我面前，自豪地说："老师，我做好了！您看像不像？"看着他那笑容如花的脸，我给了他一个大拇指。他高兴地离开了。走到座位上，他小心翼翼地把捏好的葡萄放到纸盘上，并千叮咛万嘱咐地告诉旁边的孩子不要动他的作品，那个认真的样子特别可爱！

放学后，我送学生出校门，特意留意了这个孩子。只见他站在队伍里东张西望，最后笑了。不远处，一位年轻的女士也正对着他笑，看长相，应该是他的妈妈。队伍一解散，他就手捧着他的作品跑向妈妈，妈妈拿着他捏的葡萄，在他脸上亲了一口，然后把他紧紧搂在怀里。多么温馨的一幕！

小小水果，不仅激发了孩子们的兴趣，给他们展示创造才华的平台，而且，在制作过程中，也激发了孩子们的团结友爱精神。更重要的是孩子们有了创作心爱事物的愉悦心情，并把这种快乐带到各个家庭，这是多么美好的事情啊！

版块二：季节课程之秋季实践活动

《秋季实践活动》课程设计

课程内容：

挖红薯、参观生态农场、感悟石磨文化

学情分析：

一年级的小学生几乎都是居住在城市的儿童，对于农作物的生长等知识接触较少。前文已说孩子们很少有机会进行种植活动，他们会对本次活动特别感兴趣。这是一年级的学生第一次进行课外实践活动，对于活动前的准备、活动中的要求和安全注意事项要重点提醒以引起注意。

课程设计理念：

以秋季实践活动为契机，通过活动前的准备、活动中的要求、活动时的注意事项、活动后的反馈来完成秋季实践活动这一主题。

课程目标：

1. 引导学生通过亲身体验挖红薯、参观生态农场、农耕手作、蔬菜认知来体会劳动者的辛苦，知道粮食来之不易，从而在日常生活中做到节约粮食。

2．通过趣味性强的小问题，激发孩子们的求知欲，引领他们在活动中实地——解决问题，完成任务，激发孩子们对自然的热爱，树立环保意识，培养其问题意识、探索精神。

3．引导学生在活动实践中，通过实地看、动手做、听讲解来亲身感受秋天事物的特征。

课程评价实施：

老师制定评价标准、方法等，鼓励协作。

教学过程：

一、活动前的准备（学生）

1．活动时间

早上（10月13日）正常时间到校，8：00从学校出发，16：00返程。

2．活动所需物品

饮水杯（非玻璃、内装温水）。学生统一穿校服、运动鞋。不允许带任何零食、电子产品。

3．强调本次活动注意事项

乘车时按照车号，每车一人一座。系好安全带，车上不允许随意调换座位、大声喧哗、乱扔垃圾。下车后听从老师安排，快速排列整队。全程听老师的安排和指挥，不得私自离队。

二、活动前的准备（家长）

1．在家再次对孩子进行安全教育。

2．提醒孩子带好所需物品，保证孩子按时到校。

3．家长与孩子共同制作一张安全提示卡，活动当天（10月13日）带到学校。示例如下：

```
┌─────────────────────────────────────┐
│              安全提示卡                │
│                                       │
│   孩子姓名：        班级：             │
│   家长姓名：                          │
│   联系电话：                          │
│   注意事项：                          │
│   1.                                  │
│   2.                                  │
│   3.                                  │
│   家长寄语：                          │
│                                       │
└─────────────────────────────────────┘
```

三、活动中对学生的要求

1．要留心观察秋天的景物，找到五处秋天的景物。

2．团体活动时要和同组的小朋友协同合作。

3．回家后能将活动中发生的一件有趣的事情口述给家长听。

四、活动安排表

秋季实践活动一日流程（2017学年第一学期）

活动时间	活动内容
9：00—9：30	教练接团分队
9：30—10：30	挖红薯（拔花生、拔萝卜）
10：30—11：00	参观生态牧场（快乐斗鸡）
11：00—12：00	农耕手工创作体验：石磨文化
12：00—13：00	午餐：地锅鸡（一鸡二排六配菜加面条）

续表

活动时间	活动内容
13：00—14：00	自由活动：沙滩、梅花桩、独木桥、秋千等
14：00—14：40	蔬菜认知教育
14：40—15：00	众人划桨开大船（拔河比赛）
15：00—15：40	拔花生
15：40—16：00	拍班级集体照
16：00	返程

五、活动结束

活动结束后，完成秋季实践活动反馈卡。

秋季实践活动反馈卡

班级：_____   姓名：_____

这次实践活动中你最喜欢的活动是：_____

为什么？_____

这次秋季实践活动，你的收获是什么：_____

家长的话：_____

课程实施掠影

田地中的同学们

课程实施感悟

走进自然，共享秋天

"没有春的繁华，那样引人注目，那样色彩绚丽；也没有夏的热烈，那样着意于塑造，那样喜怒无常阴晴多变。秋就是秋，秋将一切都坦诚地交给大自然，它面临着肃杀，面临着成熟，也面临着叶落归根。如果你在秋天的原野上，发现一簇两簇红色的云霓，你不要惊喜，那不是春天的花魂，那是红枫，是秋的肃杀之美。但要小心，你的手和你的心随时都会让秋天玉化。难怪天上很少有云彩游动，因为云彩稍一抬头，便会溶化在秋的淡蓝之中。"

秋天，是多么富有诗意的季节呀！在这美丽的季节里，学校准备组织孩子们进行一次有意义的秋季实践活动。在秋季活动之前，我们先设计了《秋季实践活动一日流程》，以秋季实践活动为契机，通过活动前的准备、活动中的要求、活动时的注意事项、活动后的反馈来完成秋季实践活动这一主题。

上课刚讲到本课的主题的时候，孩子们就开始兴奋起来。我强调了活动所需的物品及注意事项：饮水杯（非玻璃、内装温水）；统一穿校服、运动鞋；不允许带任何零食、电子产品。讲完后，班里就沸腾起来了。"老师，我可以带酸奶吗？""不可以，只能带温水。""那我中午怎么吃饭呢？""学校给小朋友们准备有丰盛的午餐哦！"一个小朋友的问题解决完了。"刘老师，妈妈可以跟着我一起去吗？""妈妈不跟我们一起去的，老师带着你们一起去。""可是我想让妈妈和我一起去呀！""这次是小朋友们和老师们一起去的实践活动。""哦……那好吧！"可爱的小男孩有些失望地坐下了。"老师，老师，那我可以带着我弟弟一起去吗？"我瞬间感觉三道黑线出现在头顶。"啊……你应该不可以带着你的弟弟一起参加活动。""可是我弟弟也是小朋友呀，为什么不能一起去呢？""呃……

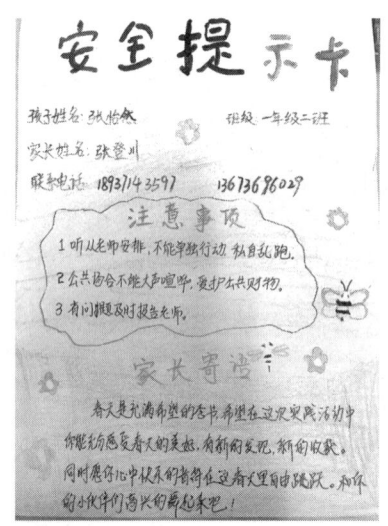 

同学们制作的安全提示卡

你弟弟太小了，我们的活动他参加不了哦！""老师，不让带零食的话我会饿的，那怎么办呀！""那你早上多吃点饭嘛，中午也可以吃饱饱的呀。"……孩子们的小脑袋瓜里面的想法真的是天马行空。

虽然只是活动前的准备课程，但是孩子们一整节课都处在兴奋的状态中，各种千奇百怪的问题让我应接不暇。这节课的最后，我给孩子们布置了一项作业——和家长一起动手制作一张安全提示卡，目的是让家长在活动前和孩子一起思考活动中需要注意的安全事项，提醒孩子们在活动中需要注意些什么。

我校一年级的小学生长期生活在城市里，对于农作物的生长等相关知识接触较少。在城市中生活的孩子们很少有机会进行种植活动，这样的实践活动，让孩子们走出校园，体验不一样的生活，很有意义。

版块三：季节课程之秋天的果实

《秋天的果实（一）》课程设计

课程内容：

秋天的果实。

学情分析：

学生对季节的变化有了初步的认识，本节课的教学是要在此基础上，使学生进一步体会秋季丰收的喜悦，了解秋季是如何融入我们的生活的。

课程设计理念：

阅读绘本《秋天的果实大收集》，体验秋天丰收的喜悦。通过与学生一起分享秋天的果实、诵读古诗词等活动升华学生热爱生活的情感。

课程目标：

1. 让学生知道秋天是收获的季节，体验丰收带来的喜悦。

2. 引导学生认识秋天常见的果实，品尝水果，体会秋季带给我们生活的快乐。

课程评价实施：

制定评价标准、方法，鼓励同学间互相夸奖。

教学过程：

活动一：

故事《拔萝卜》导入

有一位老爷爷，种了一棵大萝卜，收获的季节到了，老爷爷要去拔萝卜。他拉住萝卜的叶子，"嗨哟、嗨哟"，拔呀拔，怎么也拔不动。小朋友们，快来帮他一起拔萝卜吧！

1. 听音乐《拔萝卜》，随音乐做相应动作。

2. 找秋天。

孩子们，收获萝卜的季节是哪个季节呀？（秋季）谁能说一说，秋天是什么样子的？

3. 播放幻灯片秋季景色，老师诵读文章。

让我们一起欣赏一下秋天的美丽景色吧！

夏姑娘带着炎热走了，秋姑娘带着凉爽一步步地靠近我们，大地也换上了金黄的新装。

秋姑娘来到田野上，她看见了火红的高粱像喝醉了酒的大汉，金黄的稻谷笑弯了腰，雪白的棉花堆成了一座座小山。

秋姑娘来到公园里，她看见菊花在秋风的抚摸下频频点头，像是欢迎秋姑娘的到来。她看见蒲公英漫天飞舞，随风飘散。她还看见了似火的枫叶离开了枫树妈妈的怀抱。

秋姑娘来到果园里，她看见火红火红的苹果、柿子，金黄金黄的梨、菠萝，橙红橙红的橘子、橙子，紫红紫红的葡萄；她还看见了人们正忙着采摘水果，大声呼喊着：快来呀！快来摘水果呀！

4．聆听歌曲《丰收之歌》。

听，秋姑娘来到了我们的课堂上，还为我们带来了一首《丰收之歌》。

5．阅读绘本《秋天的果实大收集》。

伴随着热情洋溢的《丰收之歌》，今天老师还给大家带来了一个与秋天收获有关的故事。

活动二：

一、诵秋天

1．我们国家古代许多大诗人都写过和秋天有关的诗词歌赋，今天老师也为大家带来了两篇自己很喜欢的古诗和大家分享，跟我一起来读一读吧。

枫桥夜泊

作者：张继

月落乌啼霜满天，江枫渔火对愁眠。

姑苏城外寒山寺，夜半钟声到客船。

山行

作者：杜牧

远上寒山石径斜，白云生处有人家。

停车坐爱枫林晚，霜叶红于二月花。

2．有关秋天的古诗交流。学生分享自己了解的有关秋天的诗。

二、水果谜语激趣

今天老师带来了几样水果，请你猜一猜它们都是什么。

1．弯弯树，弯弯藤，藤上挂个水晶铃。（葡萄）

2．圆圆红罐罐儿，扣着圆盖盖儿，甜甜的蜜水儿，满满盛一罐儿。

（柿子）

3．红灯笼，胖胖的，颗颗宝石往里装。（石榴）

三、学生分享水果

今天，小朋友们也收集了一些水果，我们看看它们都长什么样子。

1．介绍秋天的水果。

谁来给大家介绍一下？（展示并介绍各种水果，说明其名称及特征，并鼓励学生大胆地在全班小朋友面前说话）

2．画一画你最喜欢的水果。

四、分享果实

小朋友间分享品尝不同水果的味道。

课程实施掠影

同学们在认真地描绘秋天

课程实施感悟

认识秋天的果实，收获无限的成长

秋天是多彩的季节，层林尽染，叠翠流金，景色宜人。秋天是美丽的季节，那飘飘洒洒的落叶，鲜活绚丽的色彩，是大自然为秋天勾画的一幅美丽图画。秋天是收获的季节，那挂满枝头的果实，还有那满满的粮仓，是秋天为人类呈献的丰收的喜悦。有的人爱秋天，是因为它的美丽；有的人爱秋天，是因为它承载着希望。

有关秋的讯息很多，"秋天的果实"这个主题，能激发学生观察大自然的兴趣，引导学生观察秋天景物和气候的特点，感受秋天的美好，领略大自然的美丽与神奇，体会美好的生活是勤劳的人们创造的。本实践活动旨在让学生在找秋、说秋、唱秋、颂秋的过程中，提高各种能力，了解秋的美丽，培养对秋的感情。

从学生们的各种交流意见中，我发现大多数学生都有亲近大自然的强烈愿望。的确，金秋十月，在这个特别的季节里，孩子们更想走进大自然，感受秋天的美丽、感受丰收的喜悦。秋天是一幅五彩缤纷的图画，天高云淡、大雁南飞、金色的田野、蟋蟀呢喃、绽放的菊花、飞舞的落叶……这一切，都为同学们提供了广阔的活动空间。

秋天是收获的季节，让学生投入秋的怀抱，到大自然中去欣赏、去发现，使他们增长了见识。针对学生欣赏能力的不同，指导他们用绘画、儿歌或古诗、贴画等形式来赞美秋天，使学生感受到秋天是金色的，同时也是多姿多彩的。

《秋天的果实（二）》课程设计

课程内容：

1. 知道秋天的果实有哪些，能认读有关果实的词语和单词。

2. 复习巩固所学英语单词和句子。

melon、orange、peach、lemon、apple、pear、leaf、autumn

Smell the melon. Feel the apple. Taste the peach. What's this？It's a pear. This is an apple. That's a pear.

学情分析：

大多数学生对秋天果实的认识局限于水果店。针对这一点，我在教学中运用了大量的图片和视频，也调动学生去买一些水果，加深他们对秋天果实的认识。正好结合所学的英语单词和句子，使孩子能全方位地认识秋天的果实。

课程设计理念：

《新课程标准》明确指出：学生是学习的主体，教师是活动的指导者、支持者和合作者，教师应创造学生乐于接受的学习环境，灵活多样地选用教学组织形式，把动态的教学内容和学生丰富多彩的生活联系起来，让他们从自己的世界出发，用自己的眼睛观察社会，用自己的心灵感受社会，用自己的方式研究社会。鼓励学生的多种尝试和创造性的思维，用经过生活锤炼的有意义的教育内容教育学生，才能引导学生得出有价值的观点和结论。

课程目标：

1. 引导学生观察秋天的果实，体验丰收的喜悦，愿意与别人分享快乐，让学生在秋天的自然中体验到愉快和舒畅。

2. 引导学生了解劳动成果来之不易，学会珍惜劳动果实，增强劳动意识和技能，懂得珍惜劳动成果，尊重付出劳动的人。

3. 与学生一同品尝果实，感受果实的味道，体会秋天果实的形、色、味。培养学生吃果实前讲卫生的好习惯。

4. 发展学生的想象力、创造力、动手能力。

5. 带领学生复习巩固所学的英语单词和句子。

教学方法：

观察发现、启发引导、相互讨论、动手实践等教学方法。

课程评价实施：

1. 是否准备好秋天的果实。

2. 是否在活动中保持卫生。

3. 是否能熟练运用所学的有关水果的单词和句子。

教学准备：

1. 准备视频《秋天的果实》。

2．有关词语的卡片，单词和句子的卡片。

3．师生共同准备秋天成熟的各种水果和垃圾袋。

教学过程：

一、导入

现在是什么季节？（秋季，板书：autumn）说到秋季，我们知道，秋季是一个丰收的季节。今天，老师带你们一起去看看秋天的果实。（板书：秋天的果实）学生齐读课题。

二、感受秋收的喜悦

1．秋天的果实都有哪些呢？（播放视频）

2．这么多的果实，秋天真是一个丰收的季节啊！我们一起来赞美赞美秋天吧！

三、复习巩固

听了你们的赞美，农民伯伯可高兴了，他们想邀请你们去他们的果园里采摘果实呢，你们想去吗？你们想摘什么果实呢？我们先来看看这些水果卡片吧，如果你能读出来的话，你就可以采摘。（出示水果卡片和英语课本24页的单词卡片）

1．学生认读卡片。

中间穿插各种认读形式，如小组比赛读、男女生比赛读等。

2．造句。

我喜欢吃的水果有＿＿＿＿，有＿＿＿＿，有＿＿＿＿，还有＿＿＿＿。

What's this？It's a ＿＿＿＿＿＿＿＿＿．

四、体验秋天的果实

说了这么多，你们一定嘴馋了吧。那么，我们现在就开始我们的水果鉴赏会吧！在开始之前，老师有一个要求：在分享水果的时候，要保持桌面和地面的卫生，垃圾要放入垃圾袋，最后，我们还要比一比哪一组最讲卫生。

五、谈谈自己的收获

今天我们了解了秋天的果实，并且品尝了秋天的果实，那么，你们有什么收获呢？

《秋天的果实（三）》课程设计

课程主题：

不一样的豆子。

课程内容：

本课是学生学会综合运用感官观察之后的再应用，是在观察的基础上了解比较、分类的思想并初步实践的活动。本主题融合了科学、数学、美术和语文等多个学科，能有效促进学生的认知发展。

课程目标：

1. 引导学生通过观察，描述物体的轻重、薄厚、颜色、表面粗糙程度、形状等特征，了解不一样的物体。

2. 引导学生根据物体的外部特征对物体进行简单分类，并能够利用豆子进行创作。

3. 引导学生在交流、分享中愿意倾听和分享，乐于表达自己的观点。

教学准备：

各种豆类或五谷杂粮，白纸1~2张或托盘1~2个，胶水1瓶或速干白乳胶，剪刀，牙签。

教学过程：

一、引入活动

同学们见过这些五颜六色的豆子吗？（出示各种各样的豆子，引发学生好奇）

观察这些豆子，说一说它们的样子。

二、提出问题

你能把这些豆子分类吗？除了按颜色分，还可以怎样给这些豆子分类？

三、讨论交流

说一说自己准备怎样给豆子分类。

小组讨论，各组汇报想法。

除了这种分类方法，还可以用哪种方法呢？

四、分类

小组分工合作，给不一样的豆子分分类。

五、交流

交流分类的结果，说说分类的理由。

你们都是怎样分的？给大家展示一下你们分类的方法。

六、反思

选一种豆子，分析一下一种豆子可以按不同的特征分到几个组里。

通过不一样的豆子，我们有什么新的发现？

师：选一种豆子，看一看它可以分到哪些类别里。

七、拓展活动

豆子拼画。引导学生根据各种豆子的颜色和形状来构思画面内容。

课程实施掠影

学生作品

课程实施感悟

不一样的豆子，不一样的课程

这是一年级季节课程主题活动课之一，在本课中，学生拿来了各种各样的豆子，其实已经不能用"各种各样"来形容了，应该是千奇百怪的豆子。在孩子们展示自己的豆子时，我突然听见右边有一阵声音，就走到同学身边询问怎么回事。这位同学还没有来得及开口，他的同桌就非常惊奇地抢着说："老师，你看这颗豆子特别特别地大！"果然，这是一颗"巨无霸"豆子。为了让整个班级欣赏到，我故作惊奇，大声地说道："哇，果然！一颗好大好大的豆子，同学们，你们来瞧！"这话音刚刚落下，引起了全班的注意，有些同学看到后发出了惊叹，"好大啊"，也有的孩子感觉也不是很大。于是我所以特意找了几名同学，各自拿出自己最大的豆子，上台来进行"大豆子PK"。几轮下来后，这颗大豆子不负众望成了班级最大的豆子，而这颗豆子的拥有者在这节课中也表现得特别积极。

不一样的豆子，让课程精彩纷呈。不一样的豆子，从认识的角度看是科学课，但在分类中将数学引进，在豆子粘贴画中悄然有了美术的味道。我想，这样的综合课程，更是立足学生的需求，在不断融合中培养不一样的"豆子"。

版块四：季节课程之秋天的树叶

《秋天的树叶》课程设计

课程内容：

采集、欣赏秋天的树叶，并制作树叶粘贴画。

学情分析：

本次活动安排在学生刚进入小学学习的第二个月，是在孩子能够从具体情境中抽象出1~10个数的基础上，以及通过自己的生活经验，已经知道秋天这个季节的基础上开展的活动。虽然孩子有了简单的知识经验和生活经验，但是他们在语言表达和动手操作上还会有一定的困难。

课程设计理念：

本次实践活动，将数学、品德、生活和美术等学科相结合，让孩子在活动中学会热爱自然，初步了解季节变化的特点。

课程目标：

1. 引导学生通过数树叶活动，正确数出10以内的数。

2. 引导学生通过和小伙伴交流，比较10以内数的大小。

3. 引导学生通过采集、欣赏秋天的树叶，热爱自然，初步了解季节变化的特点。

4．通过用树叶做粘贴画的活动，发展表现美的能力和动手技能。

教学准备：

1．生活中采集不同品种的秋天的落叶，每人不超过10片。

2．胶棒、水彩笔、绘画纸。

课时安排：

两课时。

课程评价实施：

1．在全班展示每个孩子的树叶粘贴画，给每个学生发投票卡，投给自己最喜欢的那幅树叶画。

2．老师制定本次活动的评价表，完成自我评价、家长评价和教师评价。

教学过程：

活动一：

1．播放歌曲视频《小树叶》，让孩子欣赏歌曲，跟唱两遍。

说一说小树叶为什么会离开妈妈的怀抱？小树叶什么时候会重新回到妈妈的怀抱？为什么？

2．拿出自己课前准备的小树叶，和同伴交流。

说一说、数一数，我带了几片树叶？分别是什么树的树叶？

找个别同学上台展示，用自己的树叶带领全班数一数。

3．同桌两个摆一摆、比一比，谁带的树叶多？多几个？

请个别组的同桌展示比的过程。

活动二：

1．手中的小树叶已经离开了大树，没有了生命，我们怎样做可以让它重新变得美丽呢？（引出制作树叶粘贴画）

2．想一想，你想用小树叶拼出什么呢？先自己动手摆一摆、试一试，再和大家说一说。

在学生拼摆的过程中，注意结合小树叶的形状进行大胆想象，进行创作。

3．独立制作树叶粘贴画，并进行美化。

在做的过程中充分发挥想象力，进行粘贴、创作。

4．给自己的树叶粘贴画取名字，并向大家展示。

取名时注意结合创作的树叶粘贴画，取名要有趣、生动，能够展示作品表达的内容。

5．介绍自己的树叶粘贴画，并进行相互评价。

在介绍作品的过程中注重指导以下几个方面：（1）表达清晰；（2）站位准确，面向大家；（3）注重介绍方法。

小结：

我们通过采集、欣赏秋天的树叶，并制作树叶粘贴画，再次感受秋天的树叶之美，感受秋天的收获。

附件：《秋天的树叶》评价表

《秋天的树叶》评价表

姓名：＿＿＿＿＿＿＿＿　　班级：＿＿＿＿＿＿＿＿

	自我评价	小伙伴的评价
我会听	☺ ☺ ☹	☺ ☺ ☹
我会数	☺ ☺ ☹	☺ ☺ ☹
我会比	☺ ☺ ☹	☺ ☺ ☹
我会做	☺ ☺ ☹	☺ ☺ ☹
爸爸妈妈的评价： ☺　　☺　　☹ 综合评价：		（教师盖章处）

课程实施掠影

展示自己在课余收集的秋天的树叶

课程实施感悟

在"教－学－评"中引领学生智慧地成长

根据金水区教体局有关"拓展评价改革空间，下放部分年级学业水平测评职权，促进'教－学－评'一致和学生学习方式转变，进一步构建自主、多样的校本学业质量评价机制"的相关要求，秉承"为了每一位学生的发展"的新课程核心理念，我校所有评价下放年级根据新课程标准的要求，采用平时与期末相结合的形式进行"教－学－评"。在"教－学－评"中，注重评价主体多元、评价内容多元、评价方式多样，着眼于学生的发展，有效地进行了有益的探索。

而我们区实验一年级组与此同时也大胆地迈出了课程整合的第一步，每一个孩子每一学年都有丰富多彩的作业、任务、手工、作品等。怎么能凸显孩子的个性，记录一学期的美好呢？本学期，一年级的老师们为学生制作了"荣誉护照"——一个新鲜的名词、一个活泼的评价形式，它是一年级所有老师的智慧结晶。它将独立的学科评价融合在一起，不但包含语文、数学、英语、体育、音乐、美术等学科，还将我校本学期一年级开展的特色融合课程囊括其中。"荣誉护照"强调对学生学习过程的评价，注重学生学习过程中学习情况的及时反馈。在期末，相关学科的老师会根据学生的学习情况，给学生打分或盖印章。

拿"秋季课程"中"秋天的树叶"主题活动为例，开发课程的老师让孩子观察、品玩秋天的树叶，以秋天的季节特点为切入点，整合数学、美术、音乐、品德与生活等学科之间的联系设计活动。在活动中，老师组织孩子欣赏歌曲《小树叶》，通过聆听，感受歌曲两个乐段不同的音乐情绪（第一乐段悲伤的情绪，第二乐段快乐的情绪），体会小树叶与大树妈妈之间的亲密关系；接下来请孩子拿出自己课前收集的小树叶，和同伴交流。通过"说一说、数一数，我带了几片树叶？分别是什么树的树叶？""孩子上台展示，用自己的树叶带领全班数一数""同桌两个摆一摆、比一比，谁带的树叶多？多几个？"一系列的活动，考查了10以内数的认识、比较大小等方面的知识。同时，孩子在学习歌曲和交流活动中，也了解了树叶什么时候掉落，什么时候生长，知道季节变化的特点，融合了品德与生活《美丽的秋天》这一单元的相关内容。最后，让孩子用撕一撕、贴一贴、画一画的方式制作树叶粘贴画，提高了学生欣赏美、表现美的能力和手工能力。这样的主题学习，将涉及这几个学科的评价内容专门设计成评价表，让孩子进行自评、互评，家长也参与评价。在"秋季课程"实施后，我们将此主题的课程评价与"荣誉护照"相结合，课程实施的教师对孩子在"秋季课程"中的表现和作品完成情况进行评价，最后汇总各个主题活动的评价结果，在"荣誉护照"上进行阶段性评价。

教育是不断发展的，我们的教育已经由关注教师的教转变为关注学生的学，更看重学生的主动性和积极性了。评价机制也由"一锤定音"式，变为贯穿整个学期、更注重学生平时的表现。所以，评价就要做在开始，使得平时的教和学都有目标，更能培养学生学习的主动性和积极性，多元的评价更能激起学生的学习兴趣。我们将在"教－学－评"一致的道路上继续努力探索，引领学生智慧地成长。

版块五：季节课程之秋天的故事

《秋天的故事》课程设计

课程内容：

以诗词篇、安全篇、自然篇、饮食篇、歌曲篇、保健篇、童话篇为线索，讲述秋天的故事。

学情分析：

本次活动安排在学生刚进入小学学习一个月后，在孩子通过自己的生活经验已经知道秋天这个季节的基础上开展的活动。虽然孩子有了简单的知识经验和生活经验，但是他们在语言叙述上仍有一定的困难。

课程设计理念：

通过本次实践活动，将自然、语文、品德与生活等学科相结合，让孩子在活动中学会热爱自然，初步了解季节变化的特点。

课程目标：

1. 引导学生通过讲故事，了解秋季儿童安全、饮食、保健等方面的知识。

2. 引导学生通过和小伙伴交流，发展语言表达能力。

3. 引导学生通过欣赏古诗、儿歌，初步了解季节变化的特点，进而热爱自然。

教学准备：

视频，幻灯片。

课程评价实施：

老师制定本次活动的评价表，完成自我评价、家长评价和教师评价。

秋天的故事——诗词篇

同学们，我们身边的环境在"静悄悄"地发生着变化，同学们来细心观察一下，你们身边的环境发生了哪些变化呢？（温度发生了变化、我们身上的衣服加厚了、不能吃冰淇淋了、我们把凉鞋换下来了、我们穿上外套了……）

老师也感受到了你们观察生活时的细心。请同学们再次开动你们的小脑筋想一想，为什么我们的环境发生了这样的变化？（天气变冷、温度降低了、秋天到了……）

是的，"秋宝宝"进入到了我们的生活中。那今天我们就来学习一些关于秋的诗词。

活动一：

老师想问问你们，在你们知道的古诗词中，有哪些是关于"秋"的古诗呢？（也可以让学生来背一背古诗词）

原来同学们知道那么多关于秋天的古诗，真了不起！那我们来选一个比较具有代表性的一篇：《山行》。接下来请同学们带着老师的一个问题去观看《山行》的视频，在观看时细心观察视频中都出现了哪些画面。（黄色的树叶、红色的枫叶、马车……）

原来同学们观察到了这么多秋天的景象。那我们一起来学习这首描绘美丽秋天景象的诗——《山行》。

教师领读古诗，解决学生的生字难题。

山行

〔唐〕杜牧

远上寒山石径斜，白云生处有人家。

停车坐爱枫林晚，霜叶红于二月花。

注意生字：径、斜、霜。

这美丽的秋天风景图，你们已经大致了解了，那你们知道这首诗是谁写的吗？

杜牧是一个了不起的诗人，他写过很多咱们耳熟能详的古诗。

杜牧，字牧之，号樊川居士，京兆万年（今陕西西安）人。杜牧是唐代杰出的诗人、散文家，因晚年居长安南樊川别墅，故后世称"杜樊川"，著有《樊川文集》。杜牧的诗歌以七言绝句著称，内容以咏史抒怀为主，其诗英发俊爽，多切经世之物，在晚唐成就颇高。杜牧人称"小杜"，以别于"大杜"杜甫，并与李商隐并称"小李杜"。

同学们，给大家五分钟的时间在组内进行自由朗读，稍后我们进行组内朗读大赛。

朗读大赛规则：每组选一名代表进行比赛，在各个组之间进行比赛，最后选出前四名和参与奖。要求：1. 声音洪亮；2. 读准字音；3. 声情并茂。（奖品准备：获奖者每人一份小奖状）

活动二：

同学们，你们在日常生活中玩过沙子吗？在我们的生活中有这样的一群人，他们将沙子玩出了另外一种玩法。接下来欣赏《山行》沙画，加强学生对《山行》意境的理解。

活动三：《山行》小剧场

先小组内讨论，进行角色分配，组长带领小组编排。学生上台表演时，可带动作进行表演。表演要求：1. 声音洪亮；2. 声情并茂；3. 对角色有自己的理解；4. 有旁白；5. 角色安排合理；6. 内容充实。

秋天的故事——安全篇

活动一：

秋季天气干燥，要注意防火。讲述秋季防火知识（附幻灯片）。

1. 基本要求。

小朋友不得玩火。一是不得带火柴或打火机等火种；二是不得随意点火，禁止在易燃、易爆物品处用火；三是不得在公共场所燃放鞭炮，更不允许将点燃的鞭炮乱扔。在火灾现场，要坚持未成年人先逃生的原则。

2. 火灾的处理办法。

家中起火，不要慌张，应根据火情及时采取相应措施：如果炒菜时油锅起火，迅速将锅盖紧紧盖上，使锅里的油火因缺氧而熄灭，不可用水扑救；房间内起火时，不能轻易打开门窗，以免空气对流，形成大面积火灾；纸张、木头或布起火时，可用水来扑救；电器、汽油、酒精、食用油着火时，则用土、沙泥、干粉灭火器等灭火。

3．发生火灾应如何报警?

如果发现火灾发生，最重要的是报警，这样才能及时扑救，控制火势，减少损失。火警电话的号码是119，这个号码应当牢记，在全国任何地区，向公安消防部门报告火警的电话号码都是一样的。每年的11月9日，是消防安全日。不能随意拨打火警电话，假报火警是扰乱社会公共秩序的违法行为。在没有电话的情况下，同学们应大声呼喊或采取其他方法引起邻居、行人注意，协助报警。

4．遭遇火灾，应采取正确有效的方法自救逃生，减少人身伤亡损失。

（1）一旦身受火灾威胁，千万不要惊慌失措，要冷静地确定自己所处的位置，根据周围的烟、火光、温度等分析判断火势，进而采取下一步动作，不要盲目采取行动。

（2）身处平房的，如果门的周围火势不大，应迅速离开火场，反之，则必须另行选择出口脱身（如从窗口跳出），或者采取保护措施（如用水淋湿衣服、用温湿的棉被包住头部和上身等），然后离开火场。

（3）身处楼房的，发现火情时，不要盲目打开门窗，避免引火入室。

（4）身处楼房的，不要盲目乱跑，更不要跳楼逃生，这样会造成不应有的伤亡。可以躲到居室里或者阳台上。紧闭门窗，隔断火路，等待救援。有条件的，可以不断向门窗上浇水降温，以延缓火势蔓延。

（5）在失火的楼房内，逃生不可使用电梯，应通过防火通道走楼梯脱险。因为失火后电梯竖井往往成为烟火的通道，并且电梯随时可能发生故障。

（6）因火势太猛，必须从楼房内逃生的，可以从二层处跳下，但要选择不坚硬的地面，同时应从楼上先扔下被褥等增加地面的缓冲，然后再顺窗滑下，要尽量缩小下落高度，做到双脚先落地。

（7）在有把握的情况下可以将绳索（也可把床单等撕开连接起来）一头系在窗框上，然后顺绳索滑落到地面。

（8）逃生时尽量采取保护措施，如用湿毛巾捂住口鼻、用湿衣物包裹身体。

活动二：

播放视频：动画防火知识。

活动三：

观看家庭防火视频。

活动四：

游戏：用做游戏的方式表现怎样防火，怎样逃生。

活动五：

讲一讲：介绍身边发生的防火故事。

秋天的故事——自然篇

活动一：说秋天

根据自己的所见所闻，说一说你眼中的秋天。（天气变凉了，我们要穿上秋天的衣服了；树叶变黄了，地上到处都是树叶；苹果红了）

活动二：望秋天

出示秋天图片，学生欣赏秋天美景，并说一说图片中秋天的样子。（稻子成熟了，农民伯伯在收割粮食；大雁开始往南飞，它们要到南方去过冬；树叶落到地上，像盖上了厚厚的被子；柿子也成熟了，菊花也开了）

活动三：画秋天

1. 出示秋天儿童画，同桌相互说一说每幅秋画的内容并构思自己的秋画。如：学生在校园捡树叶，保护环境；马车拉着丰收的果实；农民伯伯收割稻子；等等。

2. 根据自己的经历画出自己眼中真实的秋天或想象的秋天。要求：内容丰满并符合秋天主题，色彩饱和度高，作品带有一定意义。

活动四：讲秋天

1. 小组交流，说一说。

你在秋天的经历或你看到、听到的故事，如采摘果实、秋游等。由于一年级学生语言组织能力还是有限，在开始之前，老师要讲清楚要求，一方面规范学生的语言表达，另一方面也锻炼学生的上台演讲能力。

2. 班级交流展示。

在组内选一名同学在班内展示自己的成果。（在班级展示的学生都颁发表扬卡）

秋天的故事——饮食篇

活动一：

秋天是万物成熟，气候逐渐从热转寒的季节。此时，自然界阳气渐收，阴气渐长。从中医角度而言，肺与自然界的秋天相应，秋天燥气当令，燥气易伤肺，而肺主白色，因此，秋天多吃白色食品可以润肺防燥。

秋天要多吃一些白色食品，说一说你见过哪些白色食品，如藕、白萝卜、银耳、山药、白菜、梨、百合等。

活动二：

出示图片，请学生说说这些都是什么食品，并描述它们的样子。如湖里的莲藕、生长中的银耳、树上的梨等。

活动三：

小组交流：上面食品中你吃过哪些？妈妈怎么做给你吃的？

学生介绍吃法时，出示藕、银耳、萝卜、白菜等食物做的菜的图片。如凉拌莲藕、冰糖糯米藕、莲藕炖排骨、香炸藕盒、萝卜干、萝卜丸子、萝卜烧肉、银耳莲子汤、酸辣白菜等。

活动四：

讲一讲，什么是健康饮食及饭桌上的礼仪。

说一说吃饭时发生的故事。

健康饮食要关注以下几点：首先，食物要多样化，每天的膳食应该包括薯类、蔬菜水果、禽肉蛋奶等；其次，饮食和运动要平衡，每天应适量运动；再次，少盐、少油，限酒，清淡饮食；最后，杜绝浪费。

餐桌礼仪：1. 有长辈时，请长辈先入座。2. 全家人坐好后，大人没有动筷子小孩不能先动。3. 吃饭不许吧嗒嘴，喝汤不能吸溜。4. 吃饭时不能用筷子敲碗，夹菜不能乱搅。5. 吃饭时不能一手拿筷子，一手放到桌子下。6. 吃饭时，不要端着碗到处乱窜。

秋天的故事——歌曲篇

活动一：

1. 欣赏儿歌《秋天到》。

2. 学生跟唱几遍。

3. 从《秋天到》儿歌里，你了解了秋天哪些特征？

树叶黄了，庄稼熟了，瓜果香了，大雁南飞，蚂蚁忙着把谷子搬进粮仓，小兔子采蘑菇。

活动二：

1. 欣赏并学唱儿歌《秋天多么美》。

2. 从儿歌《秋天多么美》里，你了解了秋天哪些特征？（棉桃姐姐裂开了嘴，棉桃姐姐露出了小白牙，稻花姐姐把手挥，稻子上结出了金穗穗）

活动三：

1. 你还会唱哪些秋天的儿歌？

《秋天到》：秋天到，秋天到，秋天一片景象好。高粱乐得红了脸，水稻谷子笑弯腰。秋天到，秋天到，树上挂满果宝宝。红红苹果黄黄梨，石榴模样最最俏。秋天到，秋天到，叶儿随着风儿跑。红黄树叶飘呀飘，好像蝴蝶在舞蹈。秋天到，秋天到，云儿随着风儿飘。像鸡像狗又像猫，秋天景色真正好。

《树叶儿飘》：秋天来了，秋天来了。树枝儿摇摇，树叶儿飘飘，红叶子飘，黄叶子飘，好像花瓣儿往下掉。拾一片黄叶，给布娃娃缝件袄；拾两片黄叶子，给布娃娃缝手套；再拾三片红叶子，给布娃娃缝顶小红帽!

《落叶》：风儿吹，天气凉，吹落树叶一张张。好像电报一份份，催着燕子回南方。好像小船一只只，送给蚂蚁运冬粮。燕子、蚂蚁齐声唱，谢谢好心的秋姑娘。

《枫叶》：枫叶，枫叶，我问你，你的小手掌，为什么这样红?啪啪啪，啪啪啪，欢迎秋姑娘，拍手拍红了。

《秋天的信》：秋天，要给大家写信，用叶子做信纸，请风当邮差。偷懒的邮差，每到一个地方，就把信一抛。有的信，落在松鼠头上，有的信，掉在青蛙身旁，赶路的雁，也衔了一页回家。池塘里，草丛里，到处都有秋天的信。

《秋天》：秋天在哪里，秋天在这里，高粱红着脸，稻子笑弯腰，枝头结柿子，架上挂葡萄。

2. 老师从同学们的歌声中感受到了秋天的美好，同学们，在你们心里，秋天是什么样子呢?

活动四：

讲一讲秋天里发生的故事，会唱其他关于秋天的儿歌的，可以唱给同学、爸爸妈妈听一听。

秋天的故事——保健篇

活动一：

秋季儿童保健注意事项，播放幻灯片。

随着天气一天天转凉，小朋友们，你们是不是已经感受到了浓浓的秋天甚至是初冬的气息？在这个季节，我们应该有哪些需要注意的呢？

1. 衣。由于温差比较大，我们早晚应该多加一件衣服。进入秋天以后，一个显著的特点是天气开始逐渐转凉，特别是昼夜温差开始加大。因此，小朋友在穿衣方面应当尤为注意。一般来讲，早上和晚上应当比中午多增加一件衣服，白天热了可以脱，早晚冷时可以穿上，灵活增减衣物。

2. 食。秋季是小儿腹泻的高发季节，家长们要注意孩子们的饮食，不要给孩子吃不新鲜的食物，尽量煮熟食物就及时地给孩子吃，还要注意饮食干净，保持卫生。

除注意饮食卫生之外，秋季还应当为小朋友多补充水分。入秋以后，空气湿度降低，人们明显感到鼻腔和皮肤干燥，中医把这种气候特点称为"燥"。秋燥是六种主要气候致病因素之一。秋季的空气湿度虽然没有冬季低，但因为气温相对偏高，人体的代谢相对旺盛，出汗多一些，更容易出现肌体缺水引起的一系列症状，因此要及时补充水分。

3. 住。秋天开始，温度开始下降，小朋友的日常作息也会随着昼夜的变化相应改变。中医主张秋季要早睡早起，这样可以舒达阳气，对小朋友的健康很有益处。特别是已经入学的小朋友，应当严格按照学校的作息时间要求自己，养成良好的作息习惯。另外，虽然天气逐渐变冷，但在家时还要保证开窗通风一定时间，保持室内空气流通。

4. 行。秋天虽然天气逐渐转凉，但却是户外健身运动的好时间。家长应当趁着秋高气爽的时节多多带孩子出去运动，与大自然接触，不能天天在室内不运动，否则体质会越来越差。具体来讲，可以选择一些适合儿童身体素质的项目，不要过分激烈，比如跑步、骑自行车、踢球、踢毽子、捉迷藏都是可以选择的。爸爸妈妈可以趁着这个机会和宝贝一起在周末放松一下身心。大手牵小手，身体都要棒棒哒！

活动二：

说一说自己秋季都会穿哪些衣服。

活动三：

讨论，怎样才能不生病。

活动四：

讲一讲，生病时发生的有趣的故事。

秋天的故事——童话篇

活动一：

播放儿歌视频《拔萝卜》，学生学唱，可以跟着做动作。

活动二：

根据儿歌内容，学生讲述拔萝卜故事。先小组内讲，再推荐一个同学到全班讲。

一位老爷爷在地里种了个萝卜，他对萝卜说："长吧，长吧，萝卜啊，长得结实啊！长吧，长吧，萝卜啊，长得大啊！"萝卜越长越大，大得不得了。老爷爷就去拔萝卜。他拉住萝卜的叶子，"嗨哟，嗨哟"拔不动。老爷爷就喊："老奶奶，老奶奶，快来帮我拔萝卜！"老奶奶说："我来了，我来了。"老爷爷、老奶奶一起拔萝卜。"嗨哟，嗨哟"，萝卜还是拔不出来。老奶奶喊："小姑娘，小姑娘，快来帮我们拔萝卜！"小姑娘说："唉！我来了，我来了。"老爷爷、老奶奶、小姑娘一起拔萝卜。"嗨哟，嗨哟"，萝卜还是拔不出来。小姑娘就喊："小黄狗，小黄狗，快来帮我们拔萝卜。"小黄狗说："唉！我来了，我来了。""嗨哟，嗨哟"，老爷爷、老奶奶、小姑娘、小黄狗一起拔萝卜，萝卜还是拔不出来。小黄狗就喊："小花猫，小花猫，快来帮我们拔萝卜。"小花猫说："我来了，我来了。""嗨哟，嗨哟"，老爷爷、老奶奶、小姑娘、小黄狗、小花猫一起拔萝卜，萝卜终于拔出来了。

活动三：

根据儿歌内容，学生展开想象，举行创意故事比赛，还可能发生什么样的拔萝卜故事呢？（先分组讨论，再全班交流）

如：上次是龟兔赛跑，今天，乌龟和兔子去拔萝卜……乌龟和兔子会一起去拔萝卜吗？同学们接着往下编故事……

学生可能出现的回答：

乌龟虽然胜了，但它愿意和小兔结为好朋友。

乌龟还想多学本领，爱劳动。

乌龟很愿意帮助别人，所以就去帮小兔拔萝卜。

兔妈妈生病了，年纪大了，乌龟帮小兔拔萝卜给兔妈妈吃。

乌龟很爱劳动，拔了萝卜和伙伴分享。

小兔快过生日了，乌龟想拔萝卜送给小兔做生日礼物。

活动四：

刚才大家的想象都很丰富、很精彩。老师很开心有你们这么聪明的学生。下面我们的故事之旅继续。

请大家看光头强拔萝卜、小猪佩奇拔萝卜的视频，边看边想。

视频看完了，请同学们继续来编故事，并将自己编的故事在小组内说一说、讲一讲，看谁的故事讲得最好，最精彩，大家最喜欢，并在组内选角色排练。

同学们以组为单位上台表演。

活动五：

小组评比。根据四次"秋天的故事"活动情况，请各组小组长选出组内表现最好的同学，老师予以表彰，并授予"秋天的故事活动小标兵"称号。

附件:

"秋天的故事"活动评价表

姓名: _____   班级: _____

你认为自己在本次活动中表现得怎么样?

小组同学认为你在本次活动中表现得如何?

综合评价:

(教师盖章处)

课程实施掠影

展示自己经历的"秋天的故事"

课程实施感悟

"秋天的故事"里的故事

"秋天的故事"主题活动，从诗词、儿歌、自然、歌曲、安全、饮食、保健、童话等方面进行设计，让孩子们了解秋天的特征、对秋天有更深刻的认识。另一方面，这些故事帮助孩子们养成良好的卫生习惯和生活习惯，教孩子们学会一些自我保护的小知识。在教学中，我充分利用孩子的喜好、愿望，以游戏的形式讲故事，孩子们兴趣盎然。

进行"保健篇"时，张书凯讲述了自己的故事：有一次生病，爷爷、奶奶带我去看病。我害怕打针，看见针我就跑，爷爷、奶奶就跟在后面追，他俩追不上我。我跑回家，跑到自己房间，把门关上，爷爷、奶奶就在外面哄我。我发着高烧，特别难受，过了好长时间，我把门打开，跟着爷爷奶奶去打针。护士阿姨打针时，我把伸出的手缩回来，说：阿姨再等等，我还没准备好。就这样把手伸出去又缩回来，重复了好多次，最后还是爷爷摁住我才打了针。从那以后，为了不打针，我就特别注意，天冷了要加衣服、多喝水、勤洗手。

有的孩子还带着表演讲故事，讲"拔萝卜"故事时，他们自导自演，没萝卜，一个学生就蹲下抱着头当萝卜，有的当爷爷，有的当奶奶，有的当小白兔，表演得惟妙惟肖。

和孩子们一起分享故事时，我体验到了与孩子共同学习的乐趣，同时也挖掘更多的家长资源进行助教活动。家长也积极参与到部分活动中来，和孩子们一起收集资料，一起从网上、书上查找，多渠道了解秋天饮食、保健、安全等方面的知识。但在学生讲故事的过程中，我还缺乏控制活动的意识，在以后的主题活动中，应该尊重活动的真实性和原始性，增强及时进行资料整理的意识。

每次活动最后一个环节都是讲故事，一年级学生的语言表达能力较弱，还要多练、多说。

版块六：季节课程之奇妙的冬天

《奇妙的冬天（一）》课程设计

课程主题：

奇妙的冬天。

课程内容：

随着天气变冷，学生对冬天有了初步认知，对他们来说寒冷的冬天太奇妙了。他们想揭开冬天的面纱，他们渴望探索更多有关冬天的知识。他们会问为什么树叶会在冬天落下来，为什么冬天会很冷，为什么冬天会下雪，门窗上为什么会有冰花。还有的同学说冬天结冰我们可以滑冰玩，冬天下雪我们可以堆雪人，冬天冷就不会有蚊子，也不会被蚊子咬了。结合学生对冬天所产生的神秘感和已了解的知识，我们开展了主题活动——奇妙的冬天。借此让学生对冬天有更全面的认识，去揭开冬天的秘密。

学情分析：

一年级的小孩子，他们爱玩、好动，凡事都充满了好奇心，想亲自试一试。通过让学生在课前观察冬季的花草树木、小鸟、人们出行衣着、寒冷等现象感受冬天，从而更好地理解生活变化与季节的关系。

95

课程目标：

1. 让学生了解冬天，学会自我保护的方法。

2. 引导学生通过自我感受描述冬天的特征。

3. 引导学生给孩子们讲述有关雪的科普知识。

4. 引导学生学习运用多种方式表现自己对冬天的认识。

课程安排：

课程安排为两个课时。第一课时安排在室内，通过观看视频《雪孩子》让学生直观地了解冬天，由此告诉学生一年有四季，四季循环往复的自然规律。然后通过观看幻灯片让学生了解冬季的花草树木、河流、人们衣着等的变化，学生进行交流讨论。

第二课时全班再以"冬天在哪里，我去问……"的方式进行师生对答，锻炼他们交往、分享、表达的能力。

教学过程：

第一课时

一、创设情境，感受冬天

1. 欣赏图片《冬景图》

同学们，大自然是美丽的、神奇的。今天，老师带来了一组大自然的美景，请同学们一起跟着老师欣赏吧！（教师一边展示图片，一边简单介绍）

图片欣赏完了，那你们知道图片上展现的是四季中哪个季节吗？

学生有可能回答：冬天、冬季。（老师板书：冬季）

聪明的小朋友们，你们能用一个词来形容一下你眼中或你感受到的冬季吗？看看谁对冬季的感受最准确。

学生有可能回答：冷、风景美、打雪仗、堆雪人……

看来我们班的同学对于冬季的感受还是很深刻的，那老师想问，你们喜欢冬季吗？为什么呢？

学生有可能回答：喜欢（可以堆雪人、打雪仗、滑冰……）；不喜欢（冷、不利于出行、容易生病、雨雪天气容易滑倒……）

2．揭示课题

冬天有许多好玩的游戏，可你们知道冬天有哪些与其他季节不同的奇妙现象吗？今天就让我们一起走进这个奇妙的冬天。（教师用红色板书：奇妙的）

现在请小朋友们伸出你们的右手和老师一起书写"奇妙"这两个字！

二、冬天汇报会

1．讨论自己的变化

冬天来了，天气变冷了，你会怎样度过这个寒冷的冬季呢？（出示几张小朋友的冬季服装图片）

学生有可能回答：穿毛衣、穿棉裤、穿棉鞋……

其实，穿厚衣服是我们度过冬季的一个方法，我们还要多参加体育锻炼。在冬季，你会选择哪项运动呢？

学生有可能回答：跳绳、跑步……

2．讨论家里的变化

冬天来了，天气变冷了，你家会用什么样的方式来度过这个寒冷的冬季呢？（出示几张不同地区不同过冬方式的图片）

学生可能回答：我家开了空调，我家开了暖气，我家用上了热水袋……

人在寒冷的冬季会有这么多的变化，我们身边的植物会有什么样的变化呢?

3. 讨论植物如何过冬

同学们, 留心观察我们周围的环境变化。(出示小树、小花四季变化的图片)

对于我们身边的植物, 只要我们能对它们付出一点爱心, 它就能开出鲜艳的花朵, 美化我们的环境。

4. 小动物过冬

小朋友们, 冬季并不是一片的雪白, 植物朋友们有很多奇妙的现象, 把我们的冬季装扮得丰富多彩。那么, 可爱的动物又到哪里去了呢? (板书动物)

同学们, 接下来让我们观看一个小动物过冬的视频, 请同学们认真观看视频中的动物是如何过冬的, 看完后请同学们来说一说。

第二课时

一、诗歌朗诵会

同学们, 冬天这么美, 有这么多奇妙的东西, 他给我们带来了快乐, 让我们留住冬天, 留住快乐, 让我们用一首小诗来表达对冬天的喜爱。

师生一起朗诵小诗《冬天乐趣多》。(训练学生朗诵的表情动作)

冬天乐趣多

冬天虽然冷, 可它属于我。

那回到河边, 我去堆雪人;

一看忘了装耳朵, 你说有多乐。

冬天冬天冷冬天，冬天属于我；

冬天冬天冷冬天，冬天乐趣多。

二、绘画活动——我心目中的冬天

同学们，大家觉得冬天美吗?

冬天的美一定给你留下了很深的印象吧，现在请同学们动动你的小手画出你心中的冬天，比比看谁画得最好。（要求：突出季节特征，色彩搭配合理，内容充实具体）

三、小结

同学们，冬天属于我，冬天属于你，冬天属于我们大家，冬天也属于大自然。冬天还有无数个为什么等着我们去发现，去探索，去解答。让我们带着发现的眼睛走出教室，走向大自然!

课程实施掠影

在雪地里玩耍的同学们

课程实施感悟

拥抱冬天，不惧寒冷

寒冷的冬天到了，为了让学生及时捕捉冬天典型的季节特征，从小做个有心人，我们实施了"奇妙的冬天"这一主题课程。本主题以冬天的环境为核心加以组织，选取的内容与学生生活有密切联系，并能在日常生活中对学生加以引导和教育。

冬天具有明显的季节特征，但对于孩子来说，要他凭空说出冬天的特征很难，他们最多说出冬天很冷、要下雪等。在课前，我们先请家长利用休息时或离园时带孩子有意识地观察冬天、感受冬天。由于学生已经有了一定的了解和感性认识，大部分学生在课堂上都有话可说。在孩子们眼中，老师始终是一个观察者和引导者。

孩子们都知道，冬天很冷，要多穿一点衣服，还要戴上帽子、手套，围上围巾，这样才不会冷，不会感冒。至于怎样让自己热起来，不怕冷，他们也能说出一些方法来。为了让学生更完整地了解冬天，懂得一些冬天御寒的常识，我们在课前准备了一些图片和实物，如厚厚的衣服、手套、围巾等，同时也带领孩子们运动，引导他们认识运动后身体发热的现象。通过讲解和演示，让学生了解一些取暖工具和取暖方法。课后我们每天早晨带他们跑步。这些活动培养了学生勇敢、积极的好品质。

根据本次课程的主题，我安排了"冬天里温暖的围巾"活动，活动目标是收集围巾，寻找不同的围巾图案，并讨论围巾的戴法。学生通过幻灯片观察围巾的不同，将重点放在学习围巾的戴法上。我请学生尝试自己戴围巾，讨论谁戴的围巾好看并且舒服，然后教授一种方法，大家共同练习。孩子们的学习积极性很高，他们喜欢动手操作。学会戴围巾后，他们脸上洋溢着喜悦和快乐，这是这节课最大的收获。

《奇妙的冬天（二）》课程设计

课程主题：

美丽的冬天。

课程内容：

本课引导学生感受冬天的季节特征，体验、发现冬天美的同时，了解祖国各地不同的冬季特征及冬天的到来对动、植物和人们生活的影响。

课程目标：

1. 引导学生观察冬天，感受冬天的季节特征，发现冬天的乐趣，感受大自然的美。

2. 培养学生观察大自然、探索大自然的兴趣，培养他们感受美、表达美的能力。

3. 引导学生了解祖国各地不同的冬季特征，了解冬天的到来对动、植物与人类生活的影响。

学情分析：

一年级的学生大多还没有意识到冬天的特点，更感受不到祖国广博大地上的不同冬景。我们应引导学生在活动中探寻冬天的特点，发现冬天的奇妙和美好，从而更好地感受大自然的美丽。

教学过程：

一、导入

同学们，今天我们来看一看美丽的冬天，看看它长什么样子，寻找它的特点。

二、授课内容

1. 我喜欢的季节

教师让学生讨论自己喜欢的和不喜欢的季节，并说明原因。

一起欣赏四季的图片，感受大自然的美。

这就如《三字经》中所说的："曰春夏，曰秋冬。此四时，运不穷。"

2. 我眼中的冬天

当最后一片树叶落下的时候，冬爷爷悄悄地向我们走来了。他是一位神奇的魔法师，他把魔法棒指向哪里，哪里就会发生神奇的变化。你们发现冬爷爷给我们带来的变化了吗？（出示冬爷爷的图片）

同学们，我们一起来看一下冬爷爷的魔法吧！引导学生观察树木、小草、小鸟等，感觉到寒风，手冷……

同学们，你们有什么新的发现吗？（出示小诗）

冬爷爷来了

冬爷爷来了，

树叶飘落了，

候鸟南飞了，

青蛙冬眠了。

冬爷爷来了，

白雪飘落了，

堆起雪人了。

冬爷爷来了，

他把大地变白了，

把小朋友变白了，

冬爷爷的魔法真奇妙。

冬爷爷的魔法还真不少。可爱的小青蛙躲到洞里头过冬，其他动物也有好方法过冬，老师这里就有它们过冬的图片。

冬爷爷的魔法是不是很厉害，你想对他说什么？

3．不一样的冬天

冬爷爷的魔法如此神奇，你们想不想到别的地方去看一看？请拿出大家在冬季旅行的照片，小组交流。（关注旅行的地点、当地的气候和主要活动等。明确小组交流的要求：逐个交流，注意倾听）

各小组推选一个代表来汇报，并将照片贴在地图上。（出示中国地图）

观察地图并思考，相应的季节，祖国各地的气候、活动是否相同，这是为什么呢？

4．冬天里的游戏

在刚才的讨论中，我们发现冬爷爷真的很神奇，他给我们带来了很多好玩的游戏。先来看看书上的小朋友在做什么。

请先和同桌交流"在冬天，我最喜欢玩的游戏是……因为……"。

请同学们自由发言，说说"在冬天，我最喜欢玩的游戏是……因为……"。

我们要注意些什么，才能玩得开心、安全呢？

同学们这么喜欢冬爷爷，你们现在想对冬爷爷说什么？

5. 动物过冬

同学们，你们知道小动物是如何过冬的吗？一起来看，冬眠的动物有青蛙、蛇、乌龟等，哺乳动物有狮子、老虎、狐狸等。

最后，让我们欣赏别人画的动物过冬，自己也试着画一画。

课程实施感悟

冬天课程，智慧的课程

本节课主要引导学生感受冬天的季节特征，体验、发现冬天的美，同时了解祖国各地不同的冬季特征及冬天到来对动、植物和人类生活的影响。一年级的学生大多还没有关注到冬天的特点，更感受不到祖国广博大地上的不同冬景，所以，在设计这节课的时候，我引导学生在活动中探寻冬天的特点，发现冬天的奇妙和美好，从而更好地感受大自然的美丽。

在设计这节课时，为了吸引孩子们的注意力，我在课件里插入了很多图片，在上课的时候，孩子们每看到一张图片就会发出感叹，注意力都集中了过来。

后面全部以冬爷爷给我们带来了什么展开课程，孩子们对最后一环节特别感兴趣。同学们首先欣赏了一些作品，看看别人是怎么画小动物过冬的，然后把自己喜欢的小动物过冬方式画下来，孩子们立刻拿出纸和笔画了起来。

这节课让我感到多学科融合课程的丰富多彩，这类课程涉及孩子生活的方方面面，他们可以很容易地融入进来，每个人都可以发表自己的所见所闻，这更像是一堂生活课、艺术课。

版块七：季节课程之小动物过冬

《小动物过冬》课程设计

课程内容：

　　了解小动物过冬的方式；根据一定标准将小动物进行分类；通过绘画形式表示小动物怎样过冬。

学情分析：

　　本次活动安排在冬天，是在孩子通过自己的生活经验已经知道冬天这个季节，在数学课上已了解分类知识的基础上开展的。一年级小朋友喜欢小动物，对动物是怎样过冬的更是兴趣盎然，他们也喜欢看视频、讲绘本、做游戏等学习方式。把动物过冬与数学上的分类有机结合，能充分调动孩子学习探究的积极性。虽然孩子有了简单的知识经验和生活经验，但是他们在语言表述和动手绘画上还有一定的困难。

课程设计理念：

　　通过本次实践活动，将数学、品德与生活、自然、美术等学科相结合，让孩子在活动中热爱自然，初步了解冬季的特点。

课程目标：

　　1. 让学生知道冬季的主要特征，初步了解季节变化的特点。

2．让学生了解小动物过冬的方式。

3．引导学生通过和小伙伴交流，将小动物按一定标准进行分类。

4．通过画过冬的小动物，引导学生关注身边的动物，能比较准确、传神地画出自己喜欢的动物过冬时的典型特征及神态，鼓励学生发挥想象，大胆表现，体验创作的乐趣。

教学准备：

1．动物过冬的相关视频、幻灯片。

2．水彩笔，绘画纸。

课程评价实施：

1．在班内展示每个孩子的绘画，给每个学生发投票卡，投给自己最喜欢的那幅画。

2．老师制定本次活动的评价表，完成自我评价、小组评价和教师评价。

第一课时　小动物过冬（一）

教学过程：

活动一：

了解冬天的主要特征： 播放冬天的图片，学生说一说冬天的特征。

活动二：

了解小动物过冬方式：

1．播放《小动物过冬》视频。

说一说小动物过冬有哪些方式。

2．播放《小动物过冬》幻灯片。

同伴交流：幻灯片中说了哪几种动物过冬方式？少了哪种过冬方式？

活动三：

分类：出示一些动物图片，学生按不同的标准将它们分类。

活动四：

游戏：

1．学生在讲台前模仿某个动物冬眠，其他学生猜一猜他模仿的是什么动物的冬眠方式。

2．小组活动：小组每个同学都参与，一个学生模仿某个动物冬眠，小组其他学生猜他模仿的是什么动物的冬眠方式。

活动五：

学生讲一讲自己了解的小动物过冬的故事。

第二课时　小动物过冬（二）

活动一：

复习：

1．小动物有哪些主要的过冬方式？（冬眠、换毛、迁徙、躲藏）

2．请举例说明每种动物过冬的方式。学生有可能回答：冬眠的有青蛙，换毛的有狗，迁徙的有大雁，躲藏的有熊。

活动二：

绘画：

1. 请同学们欣赏下面几幅学生的绘画作品（课件展示小动物冬眠儿童画），说一说每幅画上都画了什么。（天上飘着雪花，说明是冬天，松鼠、蚂蚁在准备粮食，蛇在冬眠，兔子、猫在换毛，大雁往南飞）

2. 同学们选择自己喜欢的小动物，了解它的过冬方式，画一画它的过冬方式，可参照刚才欣赏的作品，配上房子、树等一些景，这样画会更漂亮些。（注意：画面要求丰满充实、色彩明艳、尽量不留白）

3. 给自己的绘画作品取名字并说明理由。

4. 在小组内介绍自己的绘画作品。

活动三：

评价：

1. 小组内评选出优秀作品。优秀作品的作者向全班展示，介绍自己的作品。

2. 完成评价表。

（1）在小组内选出一名同学，作为本次评选的组长完成表格。

（2）组长组织小组内作品评选。（小组成员、作品名称由组长填写）

（3）选举组内得星最多的作品，由作者在班级展示解说。

（4）最后进行班级评选，选出班级前三名，颁发奖状。

小组成员	作品名称	星　星
A		☆ ☆ ☆ ☆ ☆
B		☆ ☆ ☆ ☆ ☆

课后作业：

　　课后学生与家长一起查找资料，了解更多动物的过冬方式，以图文并茂的方式完成一份手抄报。

附件：活动评价表

"小动物过冬"活动评价表

　　　　姓名：＿＿＿＿＿＿＿＿　　　班级：＿＿＿＿＿＿＿＿

你认为自己在本次活动中表现怎样？
　　　☺ ☺ ☹
小组同学认为你在本次活动中表现如何？
　　　☺ ☺ ☹
自己的话：

综合评价：

　　　　　　　　　　　　　　　　　　　　（教师盖章处）

课程实施掠影

同学们在讲台上模仿冬天的动物

课程实施感悟

在游戏中了解小动物如何过冬

在"小动物过冬"活动中，我注重学生的主体性发挥，尊重学生的年龄特点，注重活动的趣味性。刚开始上课时，学生表演自己的取暖方式。王梓豪到讲台前，把厚棉衣穿上，帽子戴上，围巾围上，手套戴上，穿得非常厚实，还原地跺脚，惹得同学们哈哈大笑。同学们有搓手心的、搓手背的、搓脸的、捏耳朵的，有的还扭一扭、跳一跳，气氛非常热烈。不一会儿孩子们就说"暖和了"。

认识完几种小动物的过冬方式后，我又让同桌分角色表演小动物过冬。有的孩子展示了燕子从北方飞到南方，又从南方飞到北方的情景。

周瑶模仿青蛙冬眠的样子惟妙惟肖，两腿弯曲，两手上举，头一歪，两眼一闭，一动不动。曾琪还故意碰碰她，她还是一动不动，她那一本正经的样子，逗得周围同学捧腹大笑。王林模仿青蛙冬眠时，许阳还把自己的迷彩服棉袄脱下来给他穿上，说这样更像青蛙。有的孩子不仅模仿青蛙睡眠的样子，还模仿冬眠后从土里钻出来的情景。这次活动中学生有充分的自由讨论及活动时间，大胆交流与模仿。孩子们通过角色体验，积极参与，大胆表述，在轻松愉快的活动中解决了难点。

在游戏时，如果在教室内创设几个动物过冬的场景，请同学们分别扮演一种小动物，然后戴上相应的动物头饰，去寻找自己过冬的地方，会使课堂氛围更加活跃，更能提高孩子的参与性。

在这节课上，我将科学知识与绘本相结合，选择的绘本和主题联系很紧密，突出主题，方便孩子理解所学知识。在绘本教学时，如果我能够再运用一些入情入境的语言、表情和姿态，再投入一些，语言再丰富一些，那就更能把学生带进课堂的教学情境中，教学效果会更好。

版块八：季节课程之堆雪人

《堆雪人》课程设计

课程内容：

回顾长方体、正方体、圆柱体、球体的特征；寻找生活中的长方体、正方体、圆柱体和球体；学习制作小雪人。

学情分析：

本次活动安排在冬天，是在孩子通过自己的生活经验，已经知道了冬天这个季节，在数学课上已了解图形有关方面知识的基础上开展的。一年级小朋友喜欢下雪，对堆雪人更是兴趣浓厚。一年级学生喜欢看视频、讲绘本、动手操作等学习方式。把堆雪人与数学上的图形有机结合，能充分调动孩子学习探究的积极性。虽然孩子有了简单的知识经验和生活经验，但是他们在语言叙述和动手操作上还会有一定的困难。

课程设计理念：

通过本次实践活动，将数学、自然、品德与生活、美术等学科相结合。让孩子在活动中学会热爱自然，初步了解冬季的特点。

课程目标：

1. 进一步加深学生对长方体、正方体、圆柱体、球体特征的认识。

2．培养学生在生活中寻找长方体、正方体、圆柱体、球体的意识。

3．学习用泥工表现小雪人的特征。引导学生比较准确、传神地绘捏出自己喜欢的小雪人的典型特征及神态，鼓励学生发挥想象，大胆表现，体验创作的乐趣。

教学准备：

1．儿歌《雪人不见了》及相关幻灯片。

2．橡皮泥、豆子、彩纸、瓶盖、牙签等。

课程评价实施：

1．在班内展示每个孩子的作品，给每个学生发投票卡，投给自己最喜欢的小雪人。

2．老师制定本次活动的评价表，完成自我评价、家长评价和教师评价。

第一课时

教学过程：

活动一：

回顾长方体、正方体、圆柱体、球体的主要特征。

在数学课上我们认识了长方体、正方体、圆柱体和球体。大家想一想，这些立体图形都有什么特征？同桌先说一说，再集体交流。

正方体：所有的面都是平的，长和宽也是一样的。

圆柱体：有两个面是平的，它可以朝一个方向滚动。

球体：可以向任何方向滚动。

长方体：所有的面都是平平的，但是长比宽长。

活动二：

1. 幻灯片上出示一些冰雕作品，让学生根据其特征找一找图片中的长方体、正方体、圆柱体和球体。

2. 请同学们在生活中找一找长方体、正方体、圆柱体与球体。如粉笔盒是长方体，魔方是正方体，茶叶盒是圆柱体，篮球是球体等。

活动三：

1. 播放《堆雪人》幻灯片，了解堆雪人的基本步骤。首先，滚出一个小雪球，并将其放在地上逐渐滚大作为雪人的身体。其次，参照上一个步骤滚出一个小雪球，作为雪人的头。最后，利用身边的工具摆出雪人的眼睛、鼻子、嘴巴等。

2. 了解基本步骤后，同学们集体交流，集思广益。

学生可能这样回答：先做一个长方体的身子，再滚一个雪球做雪人的头，可以用小木棍做雪人的手，用桶扣在雪人头上做帽子，扣子做眼睛，还可以给它围上围巾。

3. 请同学们欣赏幻灯片中的雪人。（出示几张堆好的雪人图片）

4. 播放《雪人不见了》儿歌，学生跟着学唱。

大家说一说，雪人没有脚，为什么雪人不见了？（因为太阳出来了，它融化了）

课后作业：

回家将本节课的儿歌《雪人不见了》唱给爸爸妈妈听，在班级微信群里展示。

第二课时

一、情境引入

同学们喜欢冬天吗？（喜欢/不喜欢）

为什么？能说一说你的理由吗？

（冬天会下雪，可以堆雪人、打雪仗，可以滑冰……）

是啊！老师也和你们一样，特别喜欢冬天。每到冬天，大地看起来美丽极了，下雪后，大地银装素裹。老师也很喜欢小雪人，那我们今天就来玩个游戏——堆雪人。

二、回顾堆雪人步骤

1. 同学们想一想，堆雪人分哪几步？（先做身子，再做头和胳膊，最后做眼睛、鼻子、嘴巴。还可以加上装饰，比如帽子、围巾、扣子等）

2. 堆雪人要用到哪些立体图形？（长方体、正方体、圆柱体和球体）

3. 雪人的身子你准备做成什么立体图形？（圆柱体、球体……）

4. 雪人的胳膊和腿你准备做成什么立体图形？（长方体、圆柱体都可以）

三、户外活动

由于天气的不稳定性，根据下雪天的情况，方案分为以下两种：

1. 户外堆雪人

（1）班内分组

以6人为单位分组，明确各组的任务并由组长带领完成。

（2）组内分配

由组长带领组员到操场进行任务分配，各组完成自己的任务。

（3）组装雪人

各组将本组的成果一起拿来，在老师的指导下组装在一起，做成一个班级的大雪人。

（4）老师和学生一起和雪人照一张班级照片。

2．橡皮泥大比拼

（1）实施。请同学们用橡皮泥捏一个你最喜欢的雪人模样。

（2）小组内展示，评比。（介绍一下你的小雪人。你是怎么想的？怎么做的？）

（3）每组评选出最受同学喜爱的小雪人，在班内展示并进行介绍。

四、课后作业

今天的雪人给你留下了什么印象？请你画在一张纸上并写出二到三句你想对它说的话。

附件：活动评价表

"堆雪人"活动评价表

姓名：_____　　　班级：_____

你认为自己在本次活动中表现得怎么样？
　　☺ ☺ ☹

小组同学评价你在本次活动中表现得如何？
　　☺ ☺ ☹

综合评价：

（教师盖章处）

课程实施掠影

同学们堆出了自己的雪人

课程实施感悟

堆出来的想象

在教学过程中，我坚持"教学生活化"的教学理念，让课堂教学充满生命活力。教学一开始，我便通过图片把孩子们带入白雪飘飘的世界，把孩子们带入堆雪人、滚雪球、嬉戏玩耍的情境之中，孩子们如身临其境，兴趣浓厚地感受着美的魅力。

在活动中，我还注重面向学生的共性和个性发展，把孩子们带到校园，让他们自由结伴，并且用自己喜欢的方式去表现、创作。孩子们分工协作堆雪人，有的滚雪球，有的用桶运雪，有的用手捧雪，雪用完了再去运，个个忙得不可开交。许彤阳、付文鹤等同学负责堆，他们把雪人的身体用运来的雪堆得大一点，用滚来的雪球做头，用一支红色的蜡笔做雪人的嘴巴，又找到一颗苹果味的木糖醇在雪人的脸上画了一个笑脸，用树枝当雪人的手，一个小雪人就这样堆成了。孩子们望着自己堆的雪人，都会心地笑了，天气虽然冷，但是孩子们心里却是暖暖的。

孩子们的想象力是丰富的，根据自己的爱好，他们所创作的作品的样貌也是五花八门的。更重要的是他们参与了，互相合作了，积极动脑思考了，他们的合作精神和创新思维能力得到了培养。

这次教学活动打破了常规教学活动的模式，将音乐、美术、自然有机结合起来，效果很好。

主题三：节日课程

文化是人类存在的根和魂。祖国的传统节日蕴含着丰富的文化内涵，需要挖掘和继承。本课程主要以"中国的传统节日"为主题，以传承传统文化为切入点，增强同学们对传统节日的理解，使学生了解每个节日的由来、意义的同时，更加了解祖国的历史文化。

版块一：节日课程之重阳节

《重阳节》课程设计

课程内容：

认识传统节日重阳节，知道为何要尊敬老人。

学情分析：

1. 一年级的学生年龄小，注意力不集中，活泼好动，自我约束能力差。

2. 根据学生模仿能力强的特点，采用多种形式来进行教学。大力鼓励和奖励学生，鼓励他们认真学习，引导他们把学习和生活紧密地连接在一起。

课程设计理念：

尊老爱幼是中华民族的传统美德，作为炎黄子孙，自然应当继承传统、弘扬传统。感恩教育从感受长辈的养育之恩开始，从小让孩子对老人心存感激、知恩图报，做个有孝心的好孩子。一个人只有爱父母、爱家人，长大后才会爱他人、爱祖国。

课程目标：

1. 引导学生了解重阳节的风俗及其寓意。

2. 引导学生学会感恩，学会珍惜，学会感激老人。

3. 引导学生用自己的行动来表达对老人的情感，动手又动脑。

4．培养学生敬重老人、关心老人的良好品质，弘扬中华民族尊老爱幼的优良传统。

课程评价实施：

制定评价标准、方法等，制作评价表，准备小红花作奖品。

教学过程：

1．开门见山，导入新课

我们的国家是一个有着五千年历史的文明古国，在我国有许多具有民族特色的节日。（出示节日名称）

人们在不同的节日做不同的事情，今天我们就重点来了解其中的一个节日——重阳节。

和大多数传统节日一样，在民间流传着关于重阳节的传说，老师也找到一些相关资料，同学们想不想了解重阳节到底是怎样来的呢？让我们一起去聆听那动人的传说。

2．重阳节的来历、传说

（1）重阳节的来历

古人将天地万物归为阴、阳两类，数字一、三、五、七、九为阳，二、四、六、八为阴。九为阳数中最大的，九月九日，两九相重，故而叫重阳，也叫重九，古人认为这是个值得庆贺的吉利日子，并且从很早就开始过此节日。

（2）重阳节的传说故事

很久以前，汝南县有个人叫桓景。他和父母妻子一家人守着几亩地，安分守己地过日子。谁知天有不测风云，汝河两岸忽然流行起瘟疫，夺走了不少人的性命。桓景小时候曾听大人说过，汝河里住了一个瘟魔，每年都会出来散布瘟疫，为害人间。为了替乡民除害，桓景打听到东南山中住着一个叫费长房的神仙，他决定前去拜访……

听完故事，你体会到桓景有什么样的品质？你有什么收获？桓景给你留下什么印象？

想一想，从传说故事中你了解到哪几种流传下来的重阳节习俗？

3. 重阳节的习俗

桓景成了人们心目中的英雄，传说故事中的登高、饮菊花酒、吃重阳糕、插茱萸的习俗也流传下来，不过这些习俗还有不同的说法。（出示课件）

（1）登高。九月重阳，天高云淡，金风送爽，也正是登高远眺的好季节。登高作为重阳节的重要习俗，其目的有——登高望远，思念家乡和亲人；希望自己生活顺利，步步高升；锻炼身体。重阳节又叫"登高节"。相传此风俗始于东汉。唐代文人所写的登高诗很多，大多是写重阳节的习俗，杜甫的七律《登高》，就是写重阳登高的名篇。登高所到之处，没有统一的规定，一般是登高山、登高塔。

（2）吃重阳糕。在登高之后，人们还有吃重阳糕的习俗。江南的百姓还会做出米粉糕点，再在糕面上插上一面彩色小三角旗，以示登高（糕）避灾之意。

（3）插茱萸辟邪的习俗。茱萸，又名"越椒"或"艾子"，是一种常绿小乔木，气味辛烈。人们常插茱萸辟邪，护佑全家平安。重阳节插茱萸的风俗，在唐代就已经很普遍。古人认为在重阳节这一天插茱萸可以避难消灾，人们或佩戴于臂，或把茱萸制成香囊携带，还有插在头上的。

九月九日忆山东兄弟

〔唐〕王维

独在异乡为异客，

每逢佳节倍思亲。

遥知兄弟登高处，

遍插茱萸少一人。

（4）赏菊并饮菊花酒。重阳节正是一年的金秋时节，菊花盛开。据传赏菊及饮菊花酒起源于晋朝大诗人陶渊明，后人效之，遂有重阳赏菊之俗。旧时文人士大夫还将赏菊与宴饮结合，以求和陶渊明更接近。

（5）你还知道哪些地方过重阳节的风俗？

除以上较为普遍的习俗，各地还有独特的过节习俗。

①陕北有首歌唱道："九月里九重阳，收呀么收秋忙。谷子呀，糜子呀，上呀么上了场。"陕北过重阳在晚上。白天是一整天的收割、打场，晚上月上树梢，人们用荞面熬羊肉。吃过晚饭后，三三两两走出家门，爬上附近山头，点上火光，谈天说地，待鸡叫时才回家。夜里登山，许多人都摘几把野菊花，回家插在女儿的头上，以避邪。在福建莆仙，人们沿袭旧俗，要蒸九层的重阳米果，米果分九层重叠，可以揭开，切成菱角，四边层次分明，呈半透明体，食之甜软适口，又不粘牙，堪称重阳敬老的最佳礼馔。

②一些地方的群众也会在重阳节祭扫祖墓，纪念先人。

（6）小组内交流重阳节资料。

4.小组交流

分别说说自家是怎样过重阳节的。

5.拓展延伸

分享绘本故事《爱心树》，引导孩子感受家人无怨无悔、不求回报的爱。回忆与爷爷、奶奶或者姥爷、姥姥在一起的美好时光。九九重阳，因为与"久久"同音，包含有生命长久、健康长寿的寓意。现在我国把九月初九定为老人节，倡导全社会树立尊老、敬老、爱老、助老的风气。

6.小结

在今天的学习中，我们了解到的只是中国传统文化海洋中的一滴水，只有多读才能获取更多，收获更大。课下，同学们把这些传说讲给家长听一听，再搜集一些与传统文化有关的文章来读，我想你会为我们的民族而骄傲，为身为中华民族的一员而自豪。

课程实施掠影

回到家的同学们，为长辈"服务"起来

课程实施感悟

感恩重阳，老幼同乐

本节课过得飞快，教学在我希望的开放式课堂中进行，学生们在此孕育真情，在真情中发言，自然而然地受到美好道德的感染。这节课给了我一个很好的启示：开放，让品德教育回归生活。

以节日导入谈话，亲切自然。课前安排学生进行采访，将自主学习提前，能很好地调动学生兴趣，充分提升学生的社会实践能力，同时学生通过自己的采访，亲身体验到老人对社会、对家庭的贡献，增强了学生的情感体验，情感目标在不教中自然形成，达到教是为了不教的教育目的。合作学习是本堂课的主要学习形式，学生在合作中产生情感共鸣，同时学会与人交流与合作。课程的反馈点拨体现在学生对老人的深入理解以及对老人的具体关爱中。

平时许多年轻父母整日忙于工作，把照顾和教育孩子的重任全权托付给孩子的爷爷、奶奶或者外公、外婆。孩子们享受着老人们无限的关爱与呵护，觉得是理所应当，稍有不满还时常大发脾气。

尊老爱幼是中华民族的传统美德，成人很容易做到"爱幼"，但幼儿有时却不懂得应该尊重老人、如何尊重老人。对"尊老"的概念仅停留在肤浅的言语上，很多时候并不能真正做到关心和爱护老人，并不能真正地理解怎样尊重老人。可是宝贝们，自从你们来到这个世界上，他们就把你们视若珍宝。如今岁月的痕迹已经悄悄地爬上他们的额头，你愿意像他们当年照顾婴儿时的你一样，去照顾他们吗？

　　借本次课程，我们在班级里营造出浓厚的尊老孝亲的文化氛围，弘扬了中华民族尊老敬老的美德。学生们深刻领悟到孝敬长辈要从自我做起，从小事做起，用实际行动促进家庭幸福与社会和谐。

版块二：节日课程之国庆节

《国旗国旗，我爱你》课程设计

课程内容：

学习国旗相关知识。

课程目标：

1. 引导学生体验对国旗的热爱之情。

2. 让学生知道国旗、国徽是我们祖国的标志。

3. 让学生知道升国旗、奏国歌时应做到肃立、敬队礼或行注目礼。

学情分析：

一年级的学生由于年龄和经验的限制，对国庆节的理解往往只停留在放七天假、休息、游玩上。要加深学生热爱祖国的思想感情，教师必须有针对性地对学生进行引导，在课程中，将其注意力适当地向课程内容转移，以使其获得直接的情感体验。

同学们经常参加升旗仪式，知道国旗的颜色、形状，知道升旗时站姿要端正，眼睛要看着国旗升到旗杆顶；有的知道升旗时不仅要站端正，还要举右手敬礼，却不知道那是少先队员的礼仪。大部分学生只是在模仿高年级的学生，别人怎么做，他们就怎么做，不知为什么要这样做。很多学生不知道在升国旗时要庄严肃穆，不能随意跑动、说笑、打闹。学生对国旗的认识也局限于书本，不知道在什么地方可以看到国旗、国徽，更不知道国旗、国徽是我们祖国的标志。

课程准备：

1. 在每次升旗仪式上观察学生参加升旗仪式时的表现。

2. 师生共同搜集有关国旗、国徽的资料（文字、图片、音像等）。

3. 学生课前观察并记录（用文字或图画）可以在什么地方看到国旗、国徽。

教学过程：

1. 中国国庆节的由来

1949年10月1日中华人民共和国中央人民政府正式宣告成立，这是中国历史上一次伟大的转变。1949年10月9日，中国人民政治协商会议第一届全国委员会第一次会议上通过了把10月1日定为国庆节的建议案。

2. 观看视频，分享交流

同学们好，今天老师给你们带来了一段录像，请大家认真观看。

除了学校要举行升旗仪式，你知道还有什么时候、什么地方可以看到升旗仪式吗？

学生回答：天安门广场天天都可以看到升旗仪式；球赛前可以看到升旗仪式；体育比赛颁奖的时候要升旗……

3. 深入对话，加深理解

你知道为什么在这么多地方都可以看到国旗吗？（国旗很重要，国旗是烈士的鲜血染成的，国旗代表国家，国旗是我们国家的标志）

你们知道得真多！是的，国旗是我们国家的标志。

红色象征革命。五星呈黄色，象征着中华民族为黄种人。大星代表中国共产党，四颗小星代表工人、农民、知识分子、民族资产阶级。四颗小星环拱于大星之右，并各有一个角尖正对大星的中心点，象征中国共产党领导下的革命人民大团结和人民对党的拥护。

1949年10月1日，毛泽东主席在天安门城楼按下电钮，第一面五星红旗在天安门广场升起。（展示图片）

运动场上，每当我国运动员在比赛中获得冠军时，我们就能自豪地看到国旗在雄壮的国歌声中冉冉升起，每一个中国人都感到无比的骄傲。（展示图片）

无论在学校、工厂、机关，还是在车站、码头、机场，无论在边防哨所，还是在中国驻外大使馆，无论在高高的喜马拉雅山，还是在冰天雪地、荒无人烟的南极，只要有中国人或者中国人到过的地方，我们都能看到五星红旗。五星红旗是我们中国的国旗，是我们祖国的标志。国徽也是我们国家的标志。（展示图片并板书：国旗、国徽是我们国家的标志）

你在什么地方看到过国徽？

学生可能会回答：人大门前有国徽；法院门前有国旗和国徽；我小姨是律师，她的法律书上有国徽；我爸爸是警察，他的警帽上有国徽；一角的硬币上可以看到国徽……

4．国旗国旗，真美丽

同学们明白了国旗、国徽是祖国的标志。面对国旗，你想说些什么？

学生交流。

教师板书：国旗是祖国的标志，我们要爱护国旗。那么升旗仪式上我们应该怎样做呢？

学生交流。

无论什么时候、什么地方，只要我们听到国歌，看到国旗升起时都要肃立、敬礼。

教师播放天安门广场升旗仪式，观察学生的表现。有的学生听到国歌声立刻站好向国旗行注目礼，有的跟着唱国歌，也有的坐在座位上不知该干什么，到最后更多的学生站了起来观看升旗仪式。

从你们刚才的表现，我们可以看出很多同学已经知道升旗仪式时应严肃认真，立正站好，眼睛看着国旗。少先队员要敬队礼，不是少先队员或没戴红领巾的同学要行注目礼。（板书：升国旗，要敬礼，唱国歌，要肃立）

同学们知道该怎样做了吧。咱们再看看录像中的你做得好不好。（再次播放录像，让学生检查自己的行为）

同学们能按要求做一做吗？咱们互相看看谁做得最好。

学生互相检查。

同学们练好了吗？升旗仪式马上开始。

5.全体起立，奏国歌

旗手：国旗是我们国家的标志，我们要爱护国旗。升旗、降旗时要注意国旗不能拖地，我们也不能上旗台玩，不能摇旗杆。这些都是爱护国旗的表现。

谢谢你们的讲解（师生鼓掌）。同学们，你们能做到吗？

从你们的回答中，我听出了你们对国旗的爱。让我们一起说："国旗国旗，我爱你！"

教师板书：国旗国旗，我爱你。

6. 自由创作

面对国旗，你想怎样表达对国旗的爱？

学生可能会回答：我想用我的笔把五星红旗画下来；我想把我们这组收集的国旗、国徽图片贴在一张大纸上……

7. 全体表演歌舞《国旗国旗，真美丽》

国旗是美丽的，国旗、国徽是我们祖国的标志，让我们用优美的舞姿、动听的歌声来表达我们对国旗的爱、对祖国的爱吧！

课程实施掠影

升国旗要敬礼

画出心中的升国旗场景

课程实施感悟

爱祖国，需要多角度感受

结合音乐课本第三课《祖国您好》的内容，结合语文、品德与生活、美术等学科，我设计了《国旗国旗，我爱你》的智慧主题课程。一年级的学生由于年龄和经验所限，对国庆节的理解往往只停留在放七天假、休息、游玩上。本课程设计结合视频、图片等多媒体资料，观看1949年开国大典的视频影像，为学生讲解了国庆的概念和国庆节的由来。欣赏国徽、国旗，认识国徽、国旗，知道国旗的颜色和形状。了解它们的象征意义，国徽、国旗代表国家，是国家的标志。国旗的红色象征革命，五星呈黄色，象征着中华民族为黄种人。大星代表中国共产党，四颗小星代表工人、农民、知识分子、民族资产阶级。四颗小星环拱于大星之右，并各有一个角尖正对大星的中心点，象征中国共产党领导下的革命人民大团结和人民对党的拥护。通过本课程的学习，学生获得了直接的情感体验，也加深了对祖国的热爱之情。

通过欣赏中华人民共和国国歌，了解国歌的创作背景，结合参加升旗仪式，说一说升旗的礼仪规范。让每一个孩子都知道升旗时站姿要端正，眼睛看着国旗升到旗杆顶，少先队员还要举右手敬礼。学习歌曲《国旗国旗，真美丽》，用优美的舞姿、动听的歌声来表达我们对国旗的敬意、对祖国的热爱！

版块三：节日课程之快乐过新年

《快乐过新年》课程设计

课程主题：

快乐过新年。

课程内容：

过年时，学生在收到压岁钱时很开心，却不太知道为什么要过年，也不清楚过年的习俗，通过讲解贴福字、春联等民俗活动，让小朋友重点感受汉族的新年习俗。本版块融合了道德与法治、语文、美术、音乐等多个学科的内容。

课程目标：

1. 引导学生了解并体验我国的新年习俗，懂得生活中的新年礼仪。

2. 引导学生与成人一起剪拉花、窗花，贴春联，为新年增添喜庆的气氛。

3. 引导学生与伙伴一起开联欢会，与家人一起欢度新年，以主动、积极的状态迎接传统节日的到来。

学情分析：

进入小学后，学生会了解更多节日，很多国家也和我国一样有欢度新年的习俗，在此尤其需要引导学生了解并且体验我国的新年习俗。

教学过程：

一、唤醒记忆，导入新课

每个人的心中都有许多美好的回忆，请同学们想一想上小学之前是怎样度过新年的第一天的。

二、分享交流，感受元旦与春节

请大家组交流，回忆印象中的元旦活动。（课件图片，请学生猜一猜图上各国人们怎样欢度元旦）

在中国，人们敲响新年的钟声，为新的一年祈福。

在德国，人们穿上统一的演出服，列队在街上吹奏，欢庆新年。

在巴西里约热内卢，一年一度的"祭海神"如期举行，民众会在海滩将许多装满鲜花的小船放进大海，并将白色的花瓣等其他祭品扔入大海，表达对女海神的感谢。

元旦是新年的第一天，世界各地的人们都会以不同的方式寄托对新年的期盼与祝福，那我们在这个特殊的日子里，举行什么活动来庆祝节日呢？

课件展示剪拉花、窗花的方法。尝试小组合作，欣赏作品。

提问：元旦过后，我们将迎来全球华人最隆重的节日——春节。为什么说这个节日是最隆重的？谈谈你的理解。

无论多远，出门在外的人们都会在除夕之前赶回家，与亲人一起吃团圆饭；无论多忙，人们都会带上礼物在春节走访亲友……

小结：（1）时间长：从农历腊月初八到元宵节。（2）涉及面广：我国很多地区的人们都有过春节的习俗，海外华人也在这一期间欢度春节。

（3）形式多样：春节习俗涉及生活的各个领域，吃喝玩乐、衣食住行都有很多讲究。

提问：你们知道人们在春节都做哪些有趣的事吗？

交流与分享：有照片的可以到讲台上亮出照片，看着照片，说说自己知道的春节习俗。（出示补充图片：逛庙会、舞龙、舞狮等）

提问：（1）"福"字为什么要倒着贴？（2）你会读春联吗？（3）你能说一说少数民族庆祝新年的习俗吗？（出示傣族、藏族、苗族等春节习俗图）

虽然民族不同、地域不同，庆祝新年的习俗也不同，但是每一个人期盼过年时与家人团聚的心情都是一样的。

作业设计：

今天的作业是做一个新年祝福卡片。

春节资料链接：

汉族过春节，时间较长，一般从农历腊月初八开始，到正月十五元宵节为止。随着现代生活节奏的加快以及工作的需要，春节假期定在除夕至正月初六，其中以初一、初二、初五最为讲究。

节日儿歌：

大年初一扭一扭

小孩儿小孩儿，你别馋，

过了腊八就是年。

腊八粥儿喝几天，

哩哩啦啦二十三。

二十三，糖瓜儿粘，

二十四，扫屋子，

二十五，糊窗户，

二十六，煮煮肉，

二十七，宰公鸡，

二十八，把面发，

二十九，蒸馒头，

三十晚上熬一宿，

大年初一扭一扭。

课程实施掠影

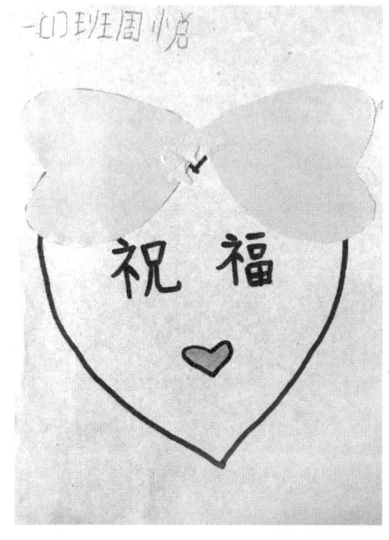

学生们制作的新年贺卡

课程实施感悟

在了解中走向新年

提起春节，大部分孩子首先想到的是压岁钱、美食、放炮。过年时，收到压岁钱时固然很开心，但小朋友们却不太知道为什么要过年，也不了解过年的习俗。所以，这节课我的课程目标是：了解并体验我国的新年习俗，懂得生活中的新年礼仪；与成人一起剪拉花、窗花，贴春联，为新年增添喜庆的气氛；与伙伴一起开展联欢会，与家人一起欢度新年，以主动、积极的状态迎接传统节日的到来。

课堂上，我首先出示春节资料，让孩子们了解春节。播放与春节相关的儿歌，孩子们听了特别开心。接着导入新课，小组交流，书上各族人民是怎么过春节的，展示窗花、春联等。并告诉他们春节的由来和演变，讲解春节的"福"字为什么倒着贴，展示并解说少数民族春节习俗的图片。

虽然民族不同、地域不同，各地庆祝新年的习俗也有差异，但是每一个人期盼过年与家人团聚的心情都是一样的。最后，给孩子们留下一个制作新年祝福贺卡的作业。

主题四：家长课程

对于学校而言，家长也是课程研发的后备军，我校为家长营造了良好的参与氛围，积极引导家长参与课程实施的全过程。家长课程的资源也很丰富。家长课程将许多课外资源引入学校，拓宽了学生的视野。

家长课程诞生记

在新学期的第一次家长会上，我讲解了本学期的注意事项和学习要点后，还有一个重要的环节，就是让家长们自愿报名参加本学期的家长课堂。家长们很踊跃地报名参加，最终我们定了三位家长，她们分别上彩泥课、烘焙课、甜点课。看着家长们的积极态度和认真表情，我发自内心地感动，真是应了一句话：一切为了孩子，为了孩子的一切！

最让我感动的是高峻的妈妈。高峻的妈妈很忙，家里还有一个半岁的小宝宝。为了表达更清楚、更形象，晚上十点，高峻妈妈把小宝哄睡后，就开始了她的课件制作。高峻妈妈已经很多年不做PPT了，她搜集各种素材，一直忙到凌晨四点钟。功夫不负有心人，她的课件生动丰富！

本学期第三周的下午两点正式开启了一（3）班的家长课程。高峻妈妈告诉我，站到讲台上看着孩子们稚嫩的笑脸，她的心瞬间被融化！高峻妈妈负责讲，高峻爸爸负责做，上了一上午课的班主任老师一直在教室帮助维持秩序，给孩子分发蛋糕，分发南瓜汤。虽然我们很累，但是孩子们吃得很开心，都想要回家与妈妈一起做蛋糕。真心感谢高峻家长的支持与配合!

　　其实我们每个人的潜力都是无限的。当你潜心去做某件事的时候,一定会取得成功!

彩泥课的故事

一个阳光明媚的下午，我看到王林的妈妈站在窗外，她正等着给孩子们上手工彩泥家长课。为了上好这堂课，王林妈妈做了很多准备，也学着老师做了教案，甚至对孩子们可能会有的疑问，都做了几种回答的准备。为了让孩子们感兴趣，王林妈妈给每一个孩子都准备了自己捏的手工彩泥礼物。看到她的精心准备，我为王林妈妈鼓劲道："你这么用心来准备，孩子们一定会非常喜欢的。"

就这样，王林妈妈带着激动、兴奋的心情第一次站在讲台上。看着孩子们明亮澄澈的大眼睛，我当时还窃喜可能彩泥课会比较完美。时间过去20多分钟就出现了问题，孩子们太活跃了，乱说话、玩东西，有的甚至跑到别的位置上玩，还有拉扯着打架的……王林妈妈扯着嗓子大喊"安静"，一度感觉她的嗓子要哑掉了，可是对于孩子们来说，手里的玩具和他们之间的悄悄话更让他们感兴趣，没有人听她的。王林妈妈告诉我，那种挫败感真是用言语也无法形容。

这时，我对着同学们一遍一遍地喊"1，2，3"，脸上的表情十分严肃，不容置疑。对于我的神情，孩子们还是很敬畏的，越来越多的孩子抱着手臂坐端正，大声地回复"要坐端"。接着我语气一变："哪个同学坐得好，可以得到一张大拇指奖章。"很快，孩子们的注意力都集中在了我身上。中间发现有个别孩子走神了，我就用眼神提醒一下，把他的思绪拉回来。王林妈妈告诉我，她当时对我的这种气场十分佩服，孩子们看老师时充满了专注与信任，她感到孩子们的进步，和老师们平时辛勤的付出分不开。老师这个平凡的岗位，担负着学校的责任和家长的期盼。孩子们对于学校的纪律没有意识，又多是娇生惯养，有这样那样的"问题"，很多小朋友上课不能专心于一件事超过10分钟，自己想干的事情不会考虑别人的感受，喜欢用"暴力"来处理问题……老师通过每一天的相处以言传身教来引导孩子向正确的方向发展，其中的艰辛也是家长们难以体会的。

当苗儿需要一杯水的时候，绝不送上一桶水；当苗儿需要一桶水的时候，也绝不只给一杯水。适时、适量地给予，才是一个好园丁应有的技艺。

读懂一年级新生的入学恐惧

　　九月开学季，又是一届学龄儿童走入校园的时间。成为小学生的他们或多或少都对学校有点不安，这是很正常的情况，孩子们成为小学生最先面对的就是适应问题。每年都有哭闹着不想到学校上课的孩子，班里甚至还有天天哭红了眼圈进班上课的孩子。为什么孩子们不愿意进入学校？到底是哪些地方让新入学的孩子们有入学恐惧呢？

　　带着这些问题，我查看了许多关于孩子初入小学时个人感受的绘本，准备利用绘本中与学生们相似的故事来打开孩子们的话匣子。入学后，我和学生们一起读了《上学第一天》和《小阿力的大学校》两个故事。故事中的小阿力从上学的前一天就开始担忧，担心学校特别大自己会走丢，担心自己穿的鞋子有难解的鞋带，担心有很厉害的老师等。这样的故事让孩子们一下就打开了话匣子，我们一起分享了上学前担心的事情有哪些，现在解决了没有，目前还有哪些上学前最担心的事，每个人都分享了自己的亲身体会。有的小朋友是因为学校没有幼儿园的玩具角了，有的是因为不能和幼儿园的好朋友见面了，还有的竟是因为一些生活小事，如书包太沉、水杯盖打不开……

听完学生们分享他们上学前一天担忧的事情，我理解他们了。是呀，从幼儿园的无拘无束到一天上五节课，从天天玩玩具到不允许带任何与学习无关的物品到学校……这些老师和家长无法理解的小事反而是学生们入学前一天最担心的事情。有些孩子对家和父母产生了过度依恋，不愿意自己走进校门上课。我们班上有一个哭闹着死活不进班的孩子，连续两天都是爸爸强行把他抱进学校，放下就跑，而他依然坐在校园大树下的绿色树凳上哭一节课还不进班。许多老师都开导他，效果也是一般。我们一起阅读过绘本后，我专门问他为什么不愿意上学，他的答案竟然是"我来上学，就不能在家看电视了"！

看来，要想读懂学生，就必须站在和他们一样的认知水平去思考问题，这样才能更加理解他们。但是作为成年人很难做到换位思考，这时我们就可以利用绘本走进他们的内心，用书中和他们一样大小的主人公的故事引起他们的共鸣，感受他们的世界。新生们的入学恐惧大多数是因为对环境和人物陌生，了解了这些，我们就能更有针对性地设计一些新生入学课程，"我要认识你"活动让学生们尽快认识班级同学；"大手拉小手"活动通过高年级学生带一年级学生认识校园，熟悉环境；"好朋友"活动帮助学生尽快找到和自己爱好相近的同学，彼此成为朋友……

只有了解他们，才能读懂他们。读懂他们后，才能知道他们的真实需要，这样才有利于我们的教育教学，有助于他们尽快适应小学生活。

我们探索的秋季课程和冬季课程

一年级学生开学时，已经进入秋季。在开学初期，我们的秋季课程就已经开始规划。课程开始前，我们发现，一年级的学生们对秋季的认识不够明确，大部分学生对秋天的认知还只是树叶落了。

结合学情和各科知识点，我们一年级组在设计秋季课程时将各科相关知识融入主题活动中。"秋天的果实"活动与数学、英语学科整合，将各种水果的英文读法，数学上的数量、轻重、大小等知识点融入活动中。秋季实践活动与安全教育课程整合，提前学习相关安全知识，并制作安全提示卡。实践活动中，我们又与科学学科整合，提前布置观察植物等科学作业，开展科学小实验活动。活动后的反馈设计，我们与美术学科整合，孩子们以画的形式表现了活动内容和眼中的秋天。"秋天的树叶"活动中，我们将品德与生活和科学教材中的相关内容引入，指导孩子们观察、了解各种树叶，在拼贴画时，又引入美术学科。在孩子手中，树叶以另一种艺术的形式呈现出来。天性好动的一年级孩子最喜欢的是户外活动课，我们与体育、音乐学科整合，以游戏的形式锻炼孩子们的身体协调性，提高身体素质。游戏中失败者的惩罚方式是表演一个节目，鼓励他们将音乐课上学过的歌曲或者舞蹈展示出来。每次的主题活动结束后都会有汇报展示环节，都与语文学科中的口语交际整合，孩子们在一次次的活动中更加自信了，他们通过自己的感官、实践将自己的感受真实地表达、总结出来。

随着2016年11月7日立冬节气的到来，我们的冬季课程也慢慢拉开了帷幕。课程开始前学生们对冬天的记忆大多数是天冷，要穿很厚的衣服，好多植物和动物都不见了……

结合以上学情和各科知识点，我们一年级组将冬季课程分为"小动物过冬""冬天的歌曲""冬天的雪""我眼中的冬天"几个主题活动。让学生从自我认知到真实的体验（听、看、摸、赏）再到亲自实践，最后将自己的真实体会提炼总结并表达出来。

以主题活动"冬天的雪"为例：11月20日，气象台预报郑州会在未来两天下雪。我们提前布置学生们预习《小雪花》一课。11月21日，下雪了，我们也来应应景，上午在各班的语文课上讲授《小雪花》一课。11月22日，我们带领学生们到户外玩雪，上午的练字课练习书写"雨""雪"两个字；下午的主题活动课我们让学生们欣赏了雪景图片，学会画雪花和雪人，学唱了《滑雪歌》，观看雪花形成的科学视频，带孩子们打雪仗、堆雪人……

连当天的家庭作业都是和雪有关的，可以是一支歌、一首诗、一幅画……

11月23日，郑州的雪停了，但是留在学生们心里的雪和冬天的记忆更深刻了。

在一场场秋雨中感受秋天

针对秋季郑州连续下雨的天气情况，一年级任课教师在秋季课程中适时加入了"秋天的雨"这一主题活动。

教师设计课程活动时打破学科间的界限，让学生们走出教室在走廊上观察下雨天，听听雨声，伸出小手感受秋雨落在手心的感觉……"老师，秋雨凉凉的，滴在手上很刺激！""秋雨像魔术师把学校冲洗得更漂亮啦！"儿童诗样的语言像秋雨般绵绵不断地蹦出来。从课堂到室外亲身感受雨点落在手上的感觉，仔细观察下雨天的情景后，再让学生们带着感受回到课堂。

课堂上从美术的角度指导学生把观察到的秋天画下来，配上自己说的句子，在这个秋天的雨季里，一幅幅美丽的画应和着诗句展现在眼前。

学生们把雨滴落在手上的感受写了下来，语句真实流畅，富有童趣。学生们说："虽然下雨天很不方便，也不能在操场上玩耍了，但是校园被雨水洗刷得更艳丽了，植物们也能得到滋润。秋雨让世界变得更美丽了！"

同学们画笔下的秋雨

　　真实的雨景、真实的活动、真实的体验，让学生们在秋季课程中得到真正的成长，这就是对"让教学真实地发生"这句话的诠释吧。

家长走进课堂后

从去年我校一年级开始课程整合后，我们就将家长进课堂活动坚持了下来。新生入校时，我们就专门安排老师对家长介绍这项活动，并征求家长意见，让有意参加家长课堂的家长填写自己准备讲哪方面的内容，这样有利于分班后负责家长课程的老师有的放矢找到适合教学的相关拓展内容，提前跟家长联络，统筹安排时间。

安排好时间后，负责家长课程的老师专门设计了邀请函，提前一天让孩子带回家。邀请函不仅能再次提醒家长到校上课的时间，还能成为家长入校的凭证，确保校园安全。每次家长课堂前，家长们准备好内容，将上课需要学生准备的内容，在家长课堂微信群里提前告知班主任，班主任以校信通的形式通知每名同学，这样保证了家长在上课前孩子们都已经准备好了所有物品。

家长走进课堂后，我感觉变化最大的地方有以下几点：

一、学生们特别期待家长课程

每次通知周五下午是家长课堂，这次是班里某某同学的家长来给大家上课时，学生们都特别期待、特别兴奋。如果是自己的妈妈来给同学上课的话，这个孩子更是骄傲万分。

我问学生："为什么你们那么喜欢家长课程？"有的说："因为没有教材呀，没有书，我们觉得更加神秘了，特别想知道学什么。"有的说："阿姨来上课，我觉得特别亲近，像是自己妈妈在上课一样。"还有些平时坐不住的学生说："家长不是老师，家长来上课时我特别轻松，因为不会批评我。"……

二、学生们的学习积极性更高了

家长们带来了自己擅长的各方面内容，内容丰富，动手制作的比较多，新奇好玩，所以孩子们在学习时积极性特别高，听讲认真，连下课还围着来上课的家长询问课堂上没有听懂或者不会制作的地方。

三、家长更加理解老师的辛苦

在上课家长的活动感言中有家长这样写道："通过这节课，我了解到老师的辛苦，他们在教育孩子的时候付出了多少辛苦、汗水，'一切为了孩子，为了孩子的一切'，老师用他们的实际行动诠释了这句话的真正含义，在这里我代表孩子说一句：老师！你们辛苦了！"

这样的家长感言很多，说明换位后，家长更加理解老师的辛苦了，拉近了老师和家长之间的距离，大家互相更理解对方了。

当然，家长课程实施过程中也出现了一些需要改进的地方，比如：家长对课堂时间的掌握不精准，需要老师多次帮他们对上课内容进行删减。还有，同学们一看家长来上课了，课堂纪律有些松散，需要老师帮助维持纪律。

家长进课堂，携手助成长

教育是家庭与学校双向的、共同的任务。家长是孩子的第一任老师，家长的一言一行都潜移默化地影响着孩子，家长工作的顺利开展是正常、有序教育教学的基础。因此，在开学初的一年级课程整合会议上，大家研讨商定将家长课程纳入本学期的课程体系，让家长工作也成为我们日常工作的重要组成部分，于是我和陈琳成了家长课程的负责人。

一、万事开头难

人们常说，万事开头难。家长课程开展起来很难，因为无头绪、无基础、无模式，从发动家长到家长报名，从课程主题筛选到日程安排，不得不说确实费了一番功夫。

要从报名的30多个主题中筛选孩子喜欢且有价值的15个内容，个个主题我们都想留，但课时有限，去掉哪个才合适？再如每周三个班同时进行家长课程是最理想的状态和安排，但是老师们任课冲突，无法安排在同一天，怎么办？还有课程表怎么排既省时、省力，又最大化地减少各类资源的浪费和重复劳动。最后要不要在开课之前跟参与家长课程的家长们开会，开会说些什么能调动家长的积极性和热情。

于是我俩几个中午没有休息，头对头来来回回讨论了好几次，随着2月24日第一次分享会的召开，家长课程正式"开播"了

家长课程分享会

二、家长进课堂

第一期家长课程快要结束了，家长课程活动进行得如火如荼，家长的投入、支持和反馈，让我们发现原来的担心都不是问题。

一（1）班吴美萱妈妈带着孩子们进行儿童保健专题讲座之后，及时发来了反馈：

尊敬的、敬爱的各位学校领导和老师们：

你们好！非常感谢各位领导和老师们的英明睿智、大爱无私，更感谢你们的信任，让我今天有了一个和孩子们共同学习、共同成长的机会！

每次看到家长群里家长们发的孩子生病信息，我心里都感到很难受，多希望我们的孩子健健康康地成长，快快乐乐、开开心心地学习啊！

几年前，我的妈妈和女儿吴美萱先后因病住进医院，她们都是特别害怕进医院的人，在那段时间里，我放下一切全心照顾她们，真切感受

到健康的可贵!

出院后,妈妈因为重病留下的后遗症而有了轻生的念头,她说自己是个废人,不愿意拖累我,拖垮我好不容易打拼来的事业。但是她哪里知道,没有了家人,再好的事业又有何意义?另外一边,女儿紧紧抱住我:亲爱的妈妈,我再也不想去医院了!妈妈,你要是医生就好了,万一我生病了就可以不用去医院了。而且,你也可以在家里治好外婆的病。女儿的话,说得我心里一颤。我做了个决定:关掉了正在营业的几家店面,公司的运营也交给别人打理。而我,在接下来的时间里,开导妈妈,告诉她我们全家不能没有她。同时,我还学习中医相关知识。非常有幸,我遇到了几位非常好的中医,他们教会了我很多,通过几年的静心学习与实践,半瘫的妈妈竟然奇迹般好了!甚至连原有的头疼失眠、宫寒也一并治好了。我也治好了我爸的鼻炎和前列腺炎,家人得了普通感冒发烧等病再也不用去医院了。我内心深深地感恩曾经帮助我、指导我学习的李老师、薛老师等几位医生老师。

推己及人,我非常希望自己所学的这些知识能够帮助到孩子们,帮助孩子们健康快乐地成长。我给孩子们讲解,病从口入,远离垃圾食品,合理膳食,保证营养,适量运动,规律作息,养成健康良好的生活习惯,远离疾病。让孩子们明白一个道理:预防(保健)胜于治疗。如果以后有机会有时间,我将试下看是否能邀请到曾经指导我的老师来学校讲课,用她们的医学知识与经验帮助小朋友们。

非常抱歉在这里啰唆了这么多。陈老师交代我写写自己内心最真实的感受,所以说起来就打开了我的话匣子。希望我所学的知识能真正地帮助到孩子们,也衷心地祝愿所有的孩子们健康快乐地邀游在知识的海洋。

最后，再次衷心地感谢学校的各位领导、老师们给我一次成长的机会！

一（1）班吴美萱妈妈　敬上

2017年2月28日

我们课题组的老师们读完吴美萱妈妈的信，顿时觉得一切付出都是值得的。我们开设家长课程的初衷实现了一大部分。像这样的例子还有很多，在此不一一列举。家长进课堂，我们勇敢且成功地迈出了第一步。

三、助学生成长

家长课程的实施，学生收获了什么？我觉得不用我表述，照片足以证明。

认真授课的家长们

孩子收获的，不仅仅是知识，还有能力、经验、喜悦、幸福……收获的将是更加精彩、快乐的人生！

这是我在家长课程第一期活动的感受，后续活动有学校领导的支持，有同伴的互助，有家长的付出，有孩子们成功的体验，我相信会有更多的精彩。不得不说，家长进课堂活动，既调动了家长参与学校教育的积极性，也调动了孩子们学习的积极性和主动性，深受家长和孩子们的欢迎。这一活动的开展更好地开发、利用了家长资源，提高了家长的教育水平，更好地实现了学校、家长、孩子三方共赢。家长课程，我们行走在路上！

家长课程上课时，家长与同学们的互动

家长课程内容（彩泥手工课堂）

家长活动感言：

很开心给孩子上这堂家长课堂展现的两个优点：
1. 让里的作还很尽心令不容营一堂课下来孩子都
很用了特别感慨老师平时带他们的太辛苦大不容易了。
2. 都特别能儿有责任感有山分意会很开心以后在家里
会更多的能力防止意思了。

最后谢这堂会今里 心意各老师

家长课程内容（折纸陀螺）

家长活动感言：

感谢学校为家长提供了与孩子零距离接触的沟通
的机会，让家长学会如向与孩子沟通，用什么样的方法和孩子
才能更加提高学生的学习欲望，再次谢谢给她和老师
给我提供了这次机会，谢谢！
通过这节课，我了解到老师的辛苦，在教育孩子的过程
付出了多少辛劳汗水，"一切为孩子，为了孩子一切"，老师同他
们家快沟们孩子都了出的话负且的欲，在这里我代表孩子，代
表所有家长说一句：老师！您们辛苦了！！

家长课程内容（ 手工 ）

家长活动感言：

首先感谢学校和老师 给予这次
机会，可以带领孩子一起娱乐，孩子
们的表现都很棒，我也很高兴能
够多与这样的分享活动，希望以后
还有更多这样的机会参与。
谢谢。

张艺凡妈妈

家长课程后的家长反馈

附　录

金水区实验小学荣誉护照

　　荣誉护照的内容丰富多样，包括小学基本规范、少先队队歌、校歌、课程等内容，能够让学生更好地认识学校、开始小学生活，帮助新入学的同学们更充分地适应小学生身份，有助于他们对新的学校生活的理解，这种活泼的师生互动形式让同学们感到新奇有趣，更能吸引他们。

荣誉护照的封面与封底

荣誉护照的欢迎页和学校介绍页

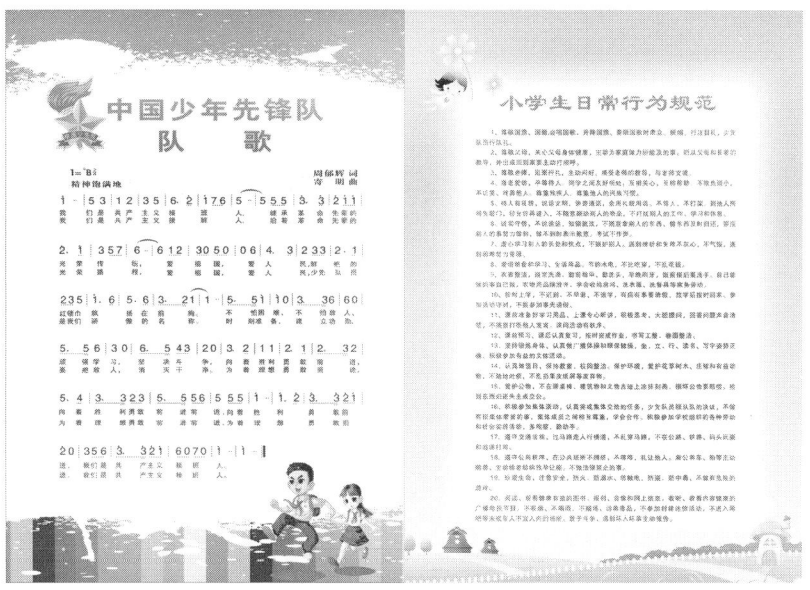

荣誉护照里的《中国少年先锋队队歌》和《小学生日常行为规范》

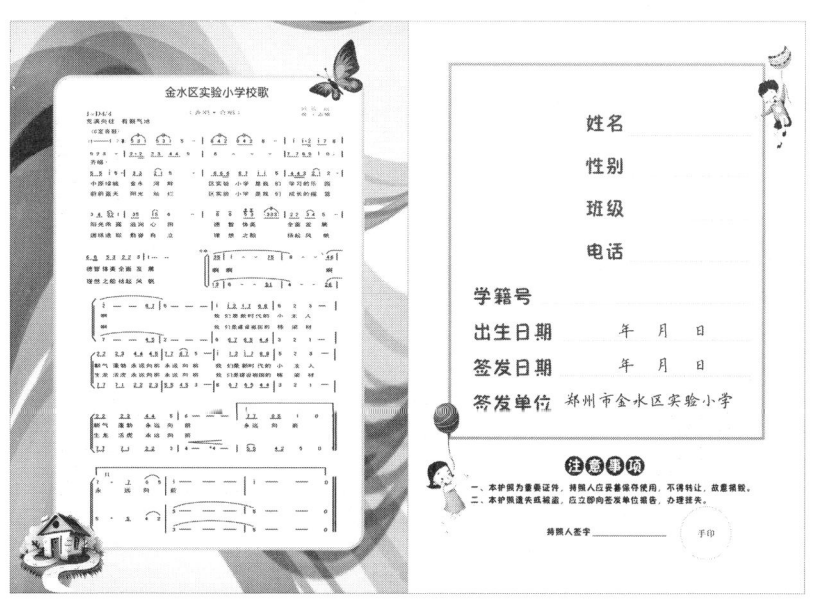

荣誉护照里的《金水区实验小学校歌》和学生信息页面

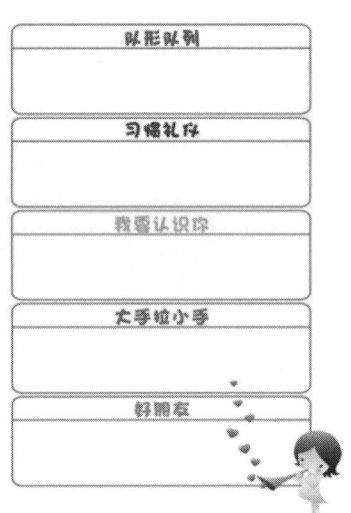

经过学科整合的开学课程

经过学科整合的秋季课程

经过学科整合的入队课程

经过学科整合的冬季课程

经过学科整合的节日课程

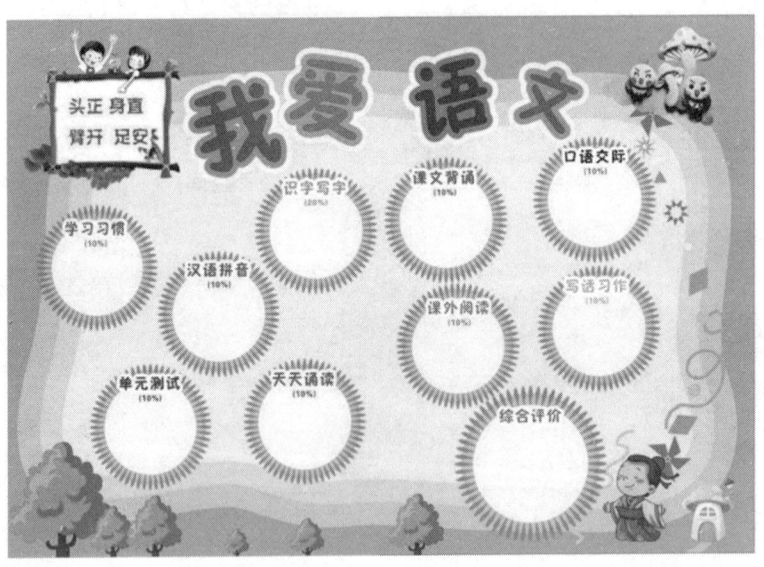

荣誉护照中的语文课程

荣誉护照中的数学课程

荣誉护照中的英语课程

荣誉护照中的体育课程

荣誉护照中的音乐课程

荣誉护照中的美术课程

荣誉护照不单是老师与学生互动的体现，更是学生
与家长、老师与家长、同学之间有效的交流方式

金水区实验小学阅读存折

我们推出了学生阅读存折，积极引导、鼓励学生阅读。格式模仿银行存折，设置了阅读契约、学生信息、我的阅读存款、阅读地图、推荐书目等活泼有趣的项目分类，学生们十分喜爱，也受到了家长们的欢迎。

阅读存折的封面与封底

阅读契约

学生信息页

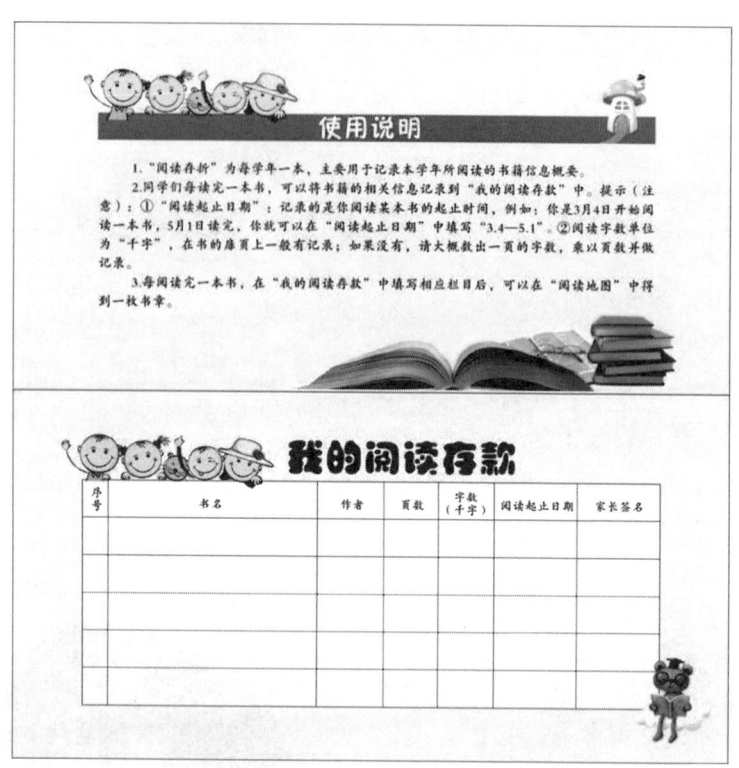

我的阅读存款及其使用说明

阅读地图

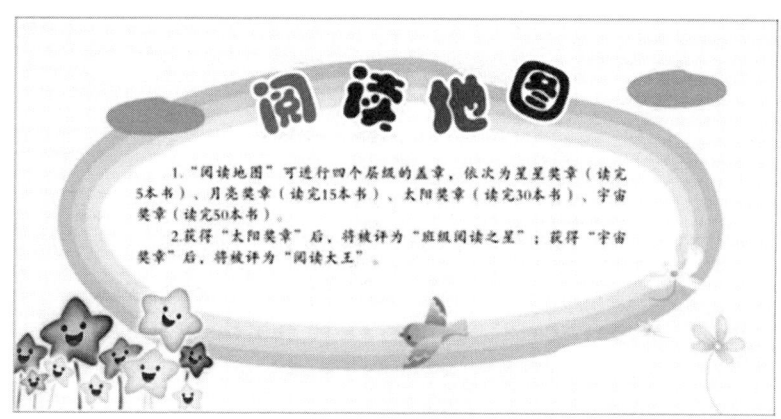

阅读地图说明

低年级推荐书目

序号	书名	作者/编者/译者/绘者	出版社
1	蝴蝶·豌豆花	金波/编，蔡皋等/画	河北教育出版社
2	稻草人	叶圣陶/著	希望出版社
3	没头脑和不高兴	任溶溶/著	浙江少年儿童出版社
4	小猪唏哩呼噜	孙幼军/著，裘兆明/图	春风文艺出版社
5	我有友情要出租	方素珍/著，郝洛玟/绘	新疆青少年出版社
6	不一样的卡梅拉 （我想去看海）	（法国）约里波瓦/著， （法国）艾利施/绘，郑迪蔚/译	二十一世纪出版社
7	百岁童谣	山曼/编著	贵州人民出版社
8	寻找快活林	杨红樱/著	湖北少年儿童出版社
9	十兄弟	沙永玲/编著，郑明进/绘	五洲传播出版社
10	月光下的肚肚狼	冰波/著	湖南少年儿童出版社
11	格林童话选	（德）格林兄弟/著，魏以新/译	天津教育出版社
12	让路给小鸭子	（美）麦克洛斯基/著，柯倩华/译	河北教育出版社
13	青蛙和蟾蜍	（美）阿·洛贝尔/著，潘人木、党英台/译	明天出版社
14	木偶奇遇记	（意）卡洛·科洛迪/著，徐调孚/译	天津教育出版社

在阅读存折里，老师为同学们精心挑选了推荐书目

低年级推荐书目

序号	书名	作者/编者/译者/绘者	出版社
15	了不起的狐狸爸爸	（美国）罗尔德·达尔/著，代维/译	明天出版社
16	我和小姐姐克拉拉	（德国）迪米特尔·茵可夫/著，陈俊/译	二十一世纪出版社
17	第一次发现（濒临危机的动物）	法国伽利玛少儿出版社编，（法国）雨果绘，王文静/译	接力出版社
18	神奇校车（在人体中游览）	（美国）乔安娜·柯尔/著，（美国）布鲁斯·迪根/绘	贵州人民出版社
19	一粒种子的旅行	（德）安妮·默勒/著，王乾坤/译	南海出版公司
20	鼹鼠博士的地震探险	（日本）松冈达英/著，蒲蒲兰/译	二十一世纪出版社

21	动物王国大探秘	（英国）莱莉亚·布鲁斯/文，兰·杰克逊/图，杨阳、王艳娟/译	广州出版社
22	千字文·三字经·弟子规	郝光明、罗容海、王军丽译注	文化艺术出版社
23	中国神话故事	聂作平编著	天津教育出版社
24	笠翁对韵	李渔/著	浙江古籍出版社
25	人	（美）彼得·史比尔/著，李威/译	贵州人民出版社

在阅读存折里，老师为同学们精心挑选了推荐书目

参考文献

[1] [美] 拉尔夫·泰勒. 课程与教学原理 [M]. 罗康译. 北京：中国轻工业出版社，2016.

[2] [美] James A. Bane. 课程整合 [M]. 单文经译. 上海：华东师范大学出版社，2003.

[3] 邢至晖，韩立芬. 特色课程8问 [M]. 上海：华东师范大学出版社，2013.

[4] [美] 彼得·圣吉. 第五项修炼 [M]. 张成林译. 北京：中信出版社，2009.

[5] [美] 约翰·富兰克林·博比特. 课程 [M]. 刘幸译. 北京：教育科学出版社，2017.

[6] [英] B. 霍尔姆斯，M. 麦克莱恩. 比较课程论 [M]. 张文军译. 北京：教育科学出版社，2001.

[7] [美] 威廉·F. 派纳主编，课程：走向新的身份 [M]. 陈时见，潘康明译. 北京：教育科学出版社，2001.

[8] 余文森. 核心素养导向的课堂教学 [M]. 上海：上海教育出版

社, 2017.

[9] 单留玉主编. 金水区实验小学教育教学指南 [M]. 郑州：海燕出版社, 2017.

[10] 周春柳, 匡莉, 范燕荣. 基于学生核心素养的"智慧课程"构建 [J]. 基础教育研究, 2017(05)：65—67.

[11] 吴红华, 林宣龙. 教育：智慧视角的诠释、反思及实践构想 [J]. 江苏教育研究, 2008(02)：39—42.

[12] 肖淑芬. 科学构建课程体系　促进学生全面发展——以厦门市前埔南区小学"博雅"课程建设为例 [J]. 福建基础教育研究, 2016(03)：23—25.

[13] 杨金明. 小学适合教育课程体系的构建与实施——以滨州市沾化区第一实验小学为例 [J]. 现代教育, 2017(02)：18—19.

[14] 肖蓉蓉. 校本课程体系的开发与实践研究 [J]. 基础教育论坛, 2017(06)：53—55、58.

[15] 刘岩林, 王俊力. "枣花朵朵开"课程体系的构建与实施 [J]. 现代教育, 2017(03)：25—26.

[16] 陈耀华, 陈琳. 智慧型课程特征建构研究 [J]. 开放教育研究, 2016, 22(03)：116—120.

[17] 陈琳, 陈耀华, 李康康, 赵苗苗. 智慧教育核心的智慧型课程开发 [J]. 现代远程教育研究, 2016(01)：33—40.

[18] 张学集, 王军仁, 孙宽宁. 统整课程体系促进内涵发展 [N]. 中国教育报, 2014—01—08.

后 记

智慧课程，绽放生命的精彩

　　我校成立于2001年，时值第八次基础教育课程改革启动，金水区作为全国38个课改实验区之一，我校开始了艰难而幸福的探索之旅。此后，我校教师积极投入课程改革中，无论是课改年级还是非课改年级，都在探索着新课程的理念。

　　回顾我们走过的十几年课改历程，我们彷徨过、困惑过，但我们一如既往地前行着，因为有坚定的信念，有执着的追求，因为我们懂得，只有以学生为本，才能促进课程走向深入。在课改的路上，我们有时会走得很快，有时会走得很慢，但我们从未放弃，一直在前行。

　　从校本课程的探索，到综合实践活动校本化的实施，再到学科内课程的整合，再到2016年，我校一年级开始智慧课程的探索。这一路走来，老师们建立了自己的课程话语体系，取得了课程与教学的突破性进展。我校的智慧课程，强调的是一种统一整合，将跨学科的内容进行整合实施，我们聚焦主题，分成版块，找到融合点，进行深度的课程研发和探索。我们确立了"读好书，写好字，做真人的智慧少年"的育人目标，破除书本知识的桎梏，建构具有生活意义的课程内容。难忘每次寒、暑假放假后教研组老师的一次次研讨，难忘午休、放学后，各科教师齐聚一起进行深度的交流……正是这一次次的教研，将课程不断推进，促使我们的思考不断深入，我们对课程的理解也在逐渐加深。一次，走进办公室，我看到了闫彦老师在阅读《课程的力量》，感动于一线教师在中午时间醉心阅读课程类专业书籍，在课程改革的路上不断从实践迈向理论的前沿。这样的感动，在我们的生活中还有很多很多，感谢老师们的辛苦付出，感谢老师们的用心实践。虽然在他们心中，做智慧课程真的很累很累，但他们却没有怨言，因为他们懂得，这样的付出更多是站在儿童的角度做教育。这就是我们一路推进儿童课程的足迹。

回顾15年的建校时光，在课程改革之路上，我们迈着坚实的步伐，在不断探索的过程中，收获着幸福的喜悦。在这15年的时光中，我们不断在课程改革的路上读懂儿童，尝试着用学生的视角重组和构建课程，让课程更适合儿童的发展。在智慧课程的实施过程中，原本封闭的思路打开了，学科之间的交流活跃了，学生的学习深入了，课程的改革绽放出生命的精彩。

读懂儿童课程，让课程立足于学生的发展；读懂儿童课程，让教师在课程实施中心中有学生；读懂儿童课程，让教育多了一些以人为本。这样的课程，打开了儿童未知的世界，把学习和儿童自身的生活方式结合起来，让金水区实验小学的儿童一脸阳光，憧憬着走向远方。

建校15年，我们将课程改革的坚实步伐整理成册，为学校献礼。在本书出版之际，我们感谢单留玉校长一如既往地支持课程改革，感谢我校闫彦、孙新玲、梁宁莹、鲍筱薇老师在编校中付出了大量的时间和精力，感谢一年级全体教师提供的大量鲜活案例，大家的智慧使本书的观点更加鲜明，感谢大象出版社让本书更精美。对于一线教师而言，课程研发、实施还不够缜密，还存在一些问题，但我想即使不完善，先做起来比什么都重要。如果有什么不合适的地方，敬请大家批评指正。